INITIATION AU SHIATSU

Dans la même collection

Déjà parus

Philip Carr-Gomm, *Initiation à la tradition druidique*
Stewart Mitchell, *Initiation au massage*
Naomi Ozaniec, *Initiation aux chakras*

À paraître

Philip Heselton, *Initiation aux mystères de la terre*
Naomi Ozaniec, *Initiation à la sagesse égyptienne*

ELAINE LIECHTI

INITIATION AU SHIATSU

Traduit de l'anglais
par Emmanuel Scavée

Âge du Verseau

ÉDITIONS DU ROCHER
Jean-Paul Bertrand

Titre original : *Shiatsu, Japanese Massage for Health and Fitness,*
Element Books Limited, Longmead, Shaftesbury, Dorset.

Tous droits de traduction, de reproduction et d'adaptation réservés
pour tous pays.

© Elaine Liechti, 1992.

© Illustrations, David Gifford.

© Diagrammes, Taurus Graphics.

© Éditions du Rocher, 1995.

ISBN 2 268 02018 5

À mes maîtres, à mes patients et à mes élèves
qui sont pour moi une source constante
d'enseignement et d'inspiration.
À ma famille pour ses encouragements
et surtout à mon mari John et à ma fille Cora
pour leur amour et leur soutien.

SOMMAIRE

1

Qu'est-ce que le shiatsu ?

LE SHIATSU, UNE DISCIPLINE THÉRAPEUTIQUE

Le shiatsu est un art de guérir originaire du Japon qui fait appel au pouvoir du toucher pour nous remettre en contact avec nos propres facultés de guérison. Au cours d'une séance de shiatsu, le praticien exerce des pressions avec les doigts, les pouces, la paume des mains, et quelquefois les coudes, les genoux et les pieds pour susciter une sensation de bien-être et de profonde relaxation. Le traitement est tantôt dynamique, tantôt statique, du moins en apparence, et comprend des pressions, des étirements des membres et du torse, des mouvements de pétrissage des muscles tendus et d'autres pour soutenir les zones plus faibles. Pour le receveur, les effets du shiatsu sont tout à la fois relaxants et revigorants. Il s'ensuit une sensation de tranquillité, le sentiment d'être pleinement en relation avec chaque partie de son corps. Pour le donneur, le shiatsu est comme une méditation en mouvement dont il retire, tout comme le receveur, un équilibre et une énergie nouvelle.

Le shiatsu s'est développé à partir du massage oriental traditionnel et, à l'instar de l'acupuncture et d'autres méthodes thérapeutiques orientales, il agit sur le système énergétique du corps humain grâce au réseau de méridiens, les canaux le long desquels circule l'énergie, qui interviennent aussi bien dans le fonctionnement de nos organes que dans notre harmonie affective, psychologique et spiri-tuelle. Cette conception du corps en tant qu'organisme « énergétique » a son origine dans la pensée traditionnelle chinoise et, après des siècles d'expériences et d'études, a évolué vers une théorie médicale qui est tout à la fois riche et poétique. L'énergie, que l'on appelle *Ki* en japonais (*Qi* en chinois), circule dans tout le corps d'une façon qui s'appa-rente à un ensemble de rivières et de canaux. Il peut arriver que le flux régulier du Ki soit perturbé pour une raison ou une autre et que, dans certaines régions du corps, il se crée des sortes de barrages tandis qu'ailleurs le courant énergé-tique stagne. Ces déséquilibres se traduisent par des symp-tômes physiques, des troubles psychologiques ou la sensa-tion que « quelque chose ne va pas ».

Les étirements de méridiens et les pressions exercées dans les séances de shiatsu permettent de forcer les barrages – qui se manifestent par des tensions musculaires et des raideurs – et de revitaliser les zones déficitaires – qui appa-raissent plus froides, plus faibles ou qui semblent simple-ment réclamer une attention particulière. Grâce à la théorie médicale orientale, le praticien dispose d'un cadre de réfé-rence qui lui permet de déterminer l'état énergétique et les besoins d'un organisme. Cela permet d'expliquer les tensions dans certaines régions du corps et les sensations de faiblesse que l'on éprouve en d'autres points.

LE POUVOIR DU TOUCHER

Le shiatsu recourt à des techniques qui sont tout à la fois simples et profondes. Chacun connaît le pouvoir de guérison du toucher. Les mères savent qu'un baiser et une caresse sont parfois plus efficaces qu'un sparadrap ; les athlètes connaissent les bienfaits d'un massage immédiat en cas de déchirure musculaire. Et qui n'a jamais eu envie, quand ça va mal, de se blottir entre des bras affectueux ? Pourtant, même si, de la manière la plus élémentaire, nous ressentons ce besoin d'être touchés, la société nous a enseigné à repousser cette aspiration intuitive. Solliciter un contact physique ou le prodiguer, ce sont des choses qui ne se font pas, en dehors de quelques situations exceptionnelles.

Ce besoin du contact, le massage ou toute autre forme de travail sur le corps peut le satisfaire. Mais dans la vie quotidienne le shiatsu convient particulièrement bien, et ce pour diverses raisons. Un des aspects importants est notamment que le receveur reste vêtu pour le traitement. Dans une société où le sens du toucher suscite tant d'inhibitions, le fait de devoir se déshabiller constitue une épreuve supplémentaire qui risque de provoquer un sentiment de vulnérabilité très inconfortable. Deuxième avantage : les pressions lentes et soutenues qui caractérisent le shiatsu encouragent activement une relaxation consciente. Par rapport aux autres formes de travail sur le corps, cela favorise un meilleur relâchement des mécanismes qui gouvernent la tension musculaire. Troisième avantage : le shiatsu est très pratique puisqu'il n'exige pas d'autre équipement qu'une couverture ou une natte étendue sur le sol dans un endroit calme. Enfin, quatrième avantage : si le traitement par shiatsu de problèmes graves exige une bonne formation de thérapeute, les principes de base, en revanche, peuvent être maîtrisés par n'importe qui, après quelques cours d'introduction. Ce simple niveau de connaissance est suffisant pour vous permettre de soulager les douleurs et les petits ennuis de santé de tous les jours dont vos parents, vos collègues ou vos amis peuvent avoir à se plaindre. Peut-être est-ce là l'un des principaux atouts du shiatsu, qui est largement répandu au Japon comme remède familial. Dans ce contexte, il peut jouer un grand rôle pour raffermir les relations humaines et développer une atmosphère de soutien et d'encouragement dans les moments difficiles.

PRÉVENTION ET TRAITEMENT DES MALADIES

Comme d'autres formes de guérison naturelle et de médecine alternative, le shiatsu attache une grande importance aux mesures préventives. Il contribue à maintenir le corps dans un état de santé, de souplesse et d'équilibre tout en surveillant les modifications énergétiques qui peuvent être annonciatrices de maladie. Selon la tradition orientale, le déséquilibre du Ki se développe avant l'apparition des symptômes. Le traitement régulier par le shiatsu permet de localiser précisément toute forme de déséquilibre dans la structure corporelle du Ki et de faire disparaître ces perturbations avant qu'elles ne s'installent. Pour les personnes qui souffrent déjà d'un problème de santé, le shiatsu peut s'avérer très bénéfique à la fois comme discipline thérapeutique en soi et comme soin d'accompagnement avec d'autres traitements orthodoxes. De nombreux problèmes se prêtent particulièrement bien au traitement par le shiatsu : maux de tête, migraines, maux de dos aigus et chroniques (particulièrement ceux d'origine musculaire), sciatique, raideurs et lésions musculaires, ainsi que certaines formes d'arthrites. Le shiatsu, qui agit également sur les organes internes peut aussi contribuer à soigner les troubles de la digestion et les problèmes intestinaux, circulatoires, respiratoires et génitaux. Dans la mesure où le shiatsu procure une profonde sensation de relaxation et agit en contact avec les aspects les plus subtils de la structure énergétique, il peut bien sûr soulager l'anxiété, la tension, la dépression et l'instabilité émotionnelle.

Pour aider le patient à mieux comprendre son état, le praticien expérimenté pourra lui expliquer ce que représente le déséquilibre dans la théorie orientale. Certains suggèrent également des changements dans les habitudes alimentaires et dans le mode de vie pour favoriser la guérison. Enfin, il arrive que l'on demande au patient de pratiquer chez lui des exercices d'étirement et d'appuyer sur certains points de son corps pour renforcer les effets du traitement entre deux séances.

LA SÉANCE PROPREMENT DITE

Le déroulement d'une séance de shiatsu variera selon le degré d'expérience et de maîtrise du praticien. Les débutants ont tendance à suivre une séquence standard au cours de laquelle tous les méridiens sont stimulés en vue de produire un effet de relaxation général. Un professionnel expérimenté ne commence généralement une série de traitements qu'après avoir établi un dossier médical détaillé. En palpant l'abdomen (ce que l'on appelle en japonais le *hara*) et le dos, puis éventuellement en prenant le pouls du patient, il est possible d'évaluer son état énergétique. À partir de cette information, le praticien peut choisir de travailler sur un ou plusieurs méridiens, en commençant par des étirements, pour que le corps soit plus réceptif avant de stimuler des points précis. Les techniques employées dépendent entièrement de l'état énergétique du patient et de ses besoins. Pour venir à bout d'un blocage et rétablir la circulation du Ki, on recourt parfois à des manœuvres plus dynamiques en faisant balancer les membres, en les secouant et en les étirant. Les longues et profondes pressions du pouce sur un point particulier ou de la paume le long d'un méridien contribuent à drainer le Ki vers des zones plus faibles. Lorsque l'on travaille avec des receveurs plus corpulents ou musclés, on se sert davantage des coudes, des genoux et des pieds afin d'agir plus efficacement sur le Ki. Cela permet également d'éviter au praticien de s'épuiser quand il traite un patient de forte stature. Pour le traitement des enfants, des bébés et des personnes âgées, les pressions sont d'ordinaire très légères, et certains praticiens travaillent même au « niveau éthérique », c'est-à-dire sans toucher le corps mais en restant dans son champ énergétique, là où les pressions physiques ne conviendraient pas.

Une séance de shiatsu n'est jamais semblable à une autre. L'ordre des manipulations, le choix des méridiens qui seront stimulés et des zones sur lesquelles se concentrera l'attention du praticien varient constamment selon l'état du receveur. Pour lui comme pour le donneur, cette diversité est très dynamisante. C'est ici qu'intervient la créativité du praticien, qui doit savoir doser ses connaissances théoriques et son intuition pour construire une séance complète et adaptée aux besoins présents d'un individu. Ainsi chaque séance de shiatsu est unique.

Les séances respectent toujours un équilibre entre le traitement général, qui fait intervenir des manœuvres d'étirement et de mobilisation, et le travail spécifique sur certains méridiens. C'est en se concentrant sur un méridien particulier et sur ses fonctions associées que le praticien parvient à faire converger les propres facultés de guérison du receveur vers l'endroit où elles sont le plus nécessaires pour arriver jusqu'au cœur du problème. Quand l'énergie du patient est assez basse, c'est un élément essentiel.

À la différence de l'acupuncture ou de l'*acupressure,* où le thérapeute se concentre sur quelques points spécifiques, dans le shiatsu, un méridien déséquilibré est stimulé sur toute sa longueur (ou du moins sur une grande portion). On veille aussi bien au bon fonctionnement des muscles et des articulations proches d'un méridien qu'à la circulation régulière du Ki le long de ce canal. Tout en utilisant les points d'acupuncture traditionnels (en japonais, les *tsubos*), le shiatsu considère que le Ki peut être perturbé en n'importe quel endroit d'un méridien. C'est pourquoi les praticiens travaillent sur toute la longueur et font appel à leur intuition ainsi qu'à la sensibilité qu'ils ont appris à développer dans leurs mains pour localiser les points de déséquilibre et y rétablir le même niveau d'énergie que sur le reste du méridien. Souvent, la main s'attarde longuement en exerçant une pression qui varie selon le toucher de chaque tsubo. Cette façon de s'arrêter sur des points précis est caractéristique du shiatsu et donne parfois l'impression que rien ne se passe au cours d'un traitement. Mais en réalité le patient éprouve intensément la conscience d'une connexion avec le point concerné, tandis que sur le plan physiologique cette pression statique permet un relâchement des muscles affectés par des tensions chroniques. Les tissus mous de notre corps peuvent emprisonner des émotions, de vieux sentiments, des souvenirs ; et les praticiens de shiatsu constatent souvent au cours du traitement que leurs patients ressentent comme une libération. À long terme, cela contribue à résoudre certains problèmes psychologiques profondément enracinés.

Au cours d'une séance, le praticien travaille généralement sur tout le corps : les bras, les jambes, le dos, l'abdomen, le cou et la tête. Ce traitement général permet également au patient de reprendre conscience de son corps et pas seulement de la région où se trouve éventuellement le siège de son problème. En faisant la liaison entre les différentes parties du corps, on attire l'attention du receveur sur les relations entre ces zones du corps physique et l'esprit.

LES EFFETS DU TRAITEMENT

À la fin d'une séance, on laisse le patient se reposer quelques instants. En fait, il n'est pas rare que des gens s'endorment au cours du traitement et il est donc essentiel de leur laisser une ou deux minutes pour « revenir à la réalité ». Après une séance, le patient se sent d'ordinaire bien relaxé et éprouve un sentiment de bien-être et de paix. Il s'y ajoute parfois un effet revigorant, un regain de dynamisme. Il faut y voir les conséquences énergétiques du traitement. À la suite d'une première séance, on observe parfois un phénomène de réaction chez un nouveau patient. Cela se produit lorsque des toxines ont été libérées en cours de traitement et quittent l'organisme en provoquant l'apparition de symptômes tels que le mal de tête, une sensation de raideur, des nausées, de la diarrhée, le besoin d'uriner fréquemment ou de la léthargie. Ces symptômes sont transitoires et s'estompent rapidement, souvent dans les douze heures tout au plus, bien qu'il puisse subsister encore un trouble émotionnel. Si cela vous arrive, le mieux est encore de prendre un peu de repos et de boire beaucoup d'eau ou d'appeler votre praticien qui vous conseillera et vous rassurera si vous êtes inquiet.

Si le travail sur les méridiens et les tsubos contribue à régulariser le flux énergétique, les pressions ont également pour effet physique de stimuler les systèmes circulatoire, lymphatique et hormonal, ainsi que d'équilibrer l'activité des deux composantes du système neurovégétatif et d'éliminer les toxines.

Toutes ces actions s'associent pour activer les mécanismes de guérison propres à l'organisme. Les praticiens du shiatsu savent que les améliorations de l'état de santé qui interviennent au cours d'une séance sont le fait du patient lui-même ou, plutôt, de la stimulation de ses facultés de guérison. Le praticien est considéré comme un catalyseur qui dirige l'attention sur certains aspects du corps ou de l'esprit qui ne fonctionnent pas convenablement. Il n'est pas rare que les patients déclarent après une séance : « Jusqu'à ce que vous touchiez ce point, j'ignorais qu'il était douloureux (ou tendu). » Souvent, nous avons « perdu le contact » avec notre corps et nos besoins. Les soins attentifs et les relations de sympathie qui s'établissent entre le patient et le praticien de shiatsu peuvent grandement nous aider à renouer les liens avec notre corps et, ce faisant, à surmonter nos difficultés à communiquer avec les autres.

QUESTIONS PRATIQUES

Le shiatsu a le grand avantage de ne réclamer que très peu d'équipement. Il est presque toujours pratiqué au sol sur un mince futon, ou matelas japonais. Cette pratique s'est répandue par tradition : au Japon, l'espace d'habitation est très réduit et les gens dorment sur des futons qui peuvent être roulés pendant la journée pour laisser plus de place dans les pièces. Mais il y a aussi d'autres considérations pratiques : le travail au niveau du sol permet au praticien de se servir du poids de son corps plutôt que de sa force musculaire pour exercer les pressions. C'est bien plus confortable pour le receveur et sans aucun doute moins fatigant pour le donneur. Le shiatsu peut encore être pratiqué sur une personne assise ou couchée sur le côté, ce qui est très intéressant pour les femmes enceintes ou pour les personnes qui souffrent de certains maux de dos ou problèmes circulatoires. Ce sont autant de facteurs qui rendent très facile la pratique du shiatsu où que vous soyez, à la maison, au bureau, ou même à la plage ! Bien entendu, les praticiens professionnels exercent dans des lieux moins improvisés et reçoivent leurs patients dans une salle claire, bien aérée et confortablement chauffée. Certains praticiens vont jusqu'à créer une atmosphère harmonieuse dans la pièce, de façon à faire de la séance une expérience où interviennent les cinq sens, un peu comme la cérémonie japonaise du thé.

Les pressions du shiatsu sont pratiquées à travers des vêtements légers. L'idéal, c'est un survêtement de coton ou une tenue équivalente qui garde le receveur bien au chaud car le shiatsu a tendance à ralentir le métabolisme et donc à provoquer une sensation de froid. Paradoxalement, l'étoffe des vêtements permet au praticien de se concentrer sur le toucher des tsubos sans se laisser distraire par les informations que lui transmet son regard. Il est d'ailleurs intéressant de remarquer qu'au Japon le shiatsu est un art souvent pratiqué par les aveugles, dont le sens du toucher trouve là un remarquable terrain pour se développer.

On recommande d'ordinaire au patient de ne pas prendre d'alcool ou de repas copieux le jour du traitement. De la même façon, il vaut mieux éviter de prendre un bain chaud prolongé ou de se livrer à des exercices plus violents que de coutume, car cela tend à perturber le Ki et donc à gêner les effets du traitement.

LE SHIATSU ET LES AUTRES MÉTHODES THÉRAPEUTIQUES

Comment définir le shiatsu par rapport aux autres traitements ? Il me semble qu'il se situe quelque part entre l'acupuncture, le massage et le magnétisme, car il partage certains aspects essentiels avec chacune de ces méthodes. La combinaison de ces différentes propriétés en fait un instrument de guérison et d'évolution unique et très puissant. Le shiatsu est ressenti d'une manière particulière qui le distingue des autres formes de travail sur le corps au point de surprendre les personnes habituées aux sensations suscitées par le massage, l'aromathérapie ou la réflexologie. Voyons maintenant quels sont les points communs et les différences entre le shiatsu d'une part, le massage, le magnétisme et l'acupuncture d'autre part.

Le massage

Le massage et le shiatsu partagent de nombreux aspects : le contact chaleureux et sensible d'un autre être humain qui favorise la détente et la relaxation. Ces deux formes thérapeutiques travaillent sur le siège même de la douleur et libèrent parfois certaines tensions d'origine émotionnelle. Pour expliquer les mécanismes d'un dysfonctionnement physique, on peut faire appel à des notions de physiologie et à la théorie occidentale du massage. Le shiatsu, pour sa part, dispose en outre de l'explication plus poétique et cependant pleine de bon sens de la conception orientale pour communiquer au patient une vision globale de son état. Outre les différences manifestes mentionnées précédemment, comme le fait que le receveur reste vêtu, le shiatsu se distingue de la plupart des autres formes de massage par son recours aux manipulations et aux étirements.

Par « manipulations », je ne veux pas dire remise en place des os comme cela se fait en ostéopathie ou en chiropraxie, même si certains praticiens emploient régulièrement ces techniques. Dans le shiatsu, la manipulation est le recours aux rotations passives et aux étirements. Par exemple, soulever le genou et le bas de la jambe d'un patient étendu sur le dos et faire décrire à la jambe un large cercle pour mobiliser et étirer l'articulation de la hanche. C'est un procédé classique en physiothérapie et largement employé dans le shiatsu parce qu'il donne une bonne indication sur le degré général de relaxation du patient. Le receveur qui n'est pas capable de se relaxer suffisamment pour laisser le praticien effectuer la rotation sans « l'aider » a souvent un tempérament qui lui interdit de se « laisser aller » dans d'autres aspects de la vie. La largeur du cercle que l'on peut faire décrire à l'articulation du genou est encore une indication générale sur la souplesse du corps. La rotation est-elle plus difficile ou plus inconfortable dans certaines directions ? Chaque direction, chaque section en arc de cercle concerne le fonctionnement d'un méridien différent. Ainsi, la rotation peut servir de véritable instrument de diagnostic pour étayer d'autres observations sur l'état du patient.

Les rotations se pratiquent aussi pour les épaules, les poignets, les chevilles, les doigts et les orteils ainsi que pour le cou, en douceur. Lorsque c'est nécessaire, certains praticiens ont des techniques particulières de réajustement des vertèbres. D'habitude, cela se pratique en plaçant le receveur en position d'étirement et en dirigeant son rythme respiratoire de façon à obtenir une extension de l'étirement. On emploie aussi des étirements spécifiques pour activer une région du corps régie par un méridien précis afin de faciliter le contact et l'action sur le Ki.

Ceux qui ont pratiqué le yoga savent que les étirements de diverses parties du corps produisent des effets variés. Les organes intérieurs, les membres semblent s'ouvrir pour accueillir une vitalité nouvelle. Le shiatsu fonctionne de la même manière : grâce à l'étirement du corps, dans des limites confortables, il ouvre l'organisme pour y faire déferler le flux du Ki et le rendre plus réceptif au traitement par pressions.

De nombreuses formes de massages font intervenir des huiles et de larges mouvements des mains sur la surface du corps. La profondeur du massage dépend évidemment de la technique adoptée et du praticien. Certaines formes d'aromathérapie et de drainage lymphatique recourent à un toucher très léger tandis que le rolfing et l'intégration posturale travaillent en profondeur sur le fascia et les tissus conjonctifs. Dans le shiatsu, au contraire, les pressions soutenues et statiques dégagent une sensation plus paisible qui, en se concentrant sur un point « ici et maintenant », s'accorde bien avec la dimension zen du traitement (il existe d'ailleurs une forme de shiatsu que l'on appelle le shiatsu zen). C'est peut-être dans cette immobilité que le shiatsu trouve la sensation d'apaisement qui domine après une séance. On sent qu'un travail considérable a été accompli pour libérer les tensions, soulager la douleur et amener cette relaxation, mais on garde une impression de paix et de tranquillité.

Le magnétisme

Le magnétisme, l'imposition des mains, a une longue histoire et de nombreux documents y font allusion. C'est la faculté d'apporter aux autres un soulagement d'une manière qui jusqu'à présent échappe à toute explication scientifique et rationnelle. Le magnétiseur effleure très légèrement les zones douloureuses et dirige vers elles une énergie bienfaisante qui lui apparaît souvent sous la forme de lumières ou de couleurs. Le patient éprouve tantôt une sensation de chaleur, tantôt une impression de mouvement, comme une brise qui traverserait la partie du corps que le magnétiseur est en train de traiter. Le praticien se repose sur son intuition et sur son expérience pour savoir où placer les mains et quand passer à une autre zone. Nous avons pour la plupart reçu une éducation qui rejette l'intuition et il nous faut du temps pour réapprendre à écouter la petite voix au fond de nous qui dit : « Travaille sur le côté droit du cou » ou « Occupe-toi de la région du foie ».

Le shiatsu nous fournit la théorie médicale orientale pour étayer ce que nous faisons, mais il nous est possible de recourir largement aux techniques de magnétisme. Le seul fait de se concentrer sur un point ou sur une zone et de visualiser le passage du fluide bienfaisant constitue parfois l'élément le plus important d'un traitement alors que, pour l'observateur extérieur, il semble que rien ne se passe. On commence à enseigner très tôt ces techniques aux débutants qui apprennent le shiatsu. C'est peut-être pour cette raison que les novices obtiennent souvent des résultats spectaculaires pour soulager les petits problèmes quotidiens alors qu'ils ne connaissent pas grand-chose encore, sinon rien, à la théorie.

Certains guérisseurs appartiennent à l'un ou l'autre courant religieux et considèrent que leur « don » vient de Dieu. D'autres développent leurs facultés par la méditation, le yoga et d'autres activités. Presque tous sont convaincus que la guérison ne vient pas du praticien lui-même, mais d'une entité plus grande qui agit à travers lui, peu importe qu'on l'appelle Dieu, l'esprit ou l'univers. Pour ma part, je suis persuadée que tout le monde a la faculté de guérir ; simplement, certains s'en aperçoivent plus tôt que d'autres et décident de la développer. Je crois que tous ceux qui font profession de « soigner » les autres, qu'ils choisissent la médecine officielle ou une discipline parallèle, sont animés par la volonté et le don de guérir leurs semblables. La technique est le canevas sur lequel vient se poser la faculté intuitive. Le choix d'une discipline plutôt qu'une autre est une affaire d'individu. Personnellement, j'ai choisi le shiatsu parce qu'il me permet de donner libre cours à mon intuition et à ma créativité tout en me fournissant une base théorique solide à laquelle mon esprit peut se raccrocher.

L'acupuncture

L'acupuncture et le shiatsu ont des racines communes et partagent les mêmes fondements théoriques. Le choix de se tourner vers l'acupuncture ou vers le shiatsu dépend généralement des préférences personnelles du patient et aussi de son état de santé. Certains apprécient le rapprochement physique du shiatsu qui leur procure un sentiment de réconfort ; d'autres préfèrent la distance des aiguilles. Les praticiens qui utilisent les deux techniques ont tendance à recourir à l'acupuncture pour traiter les douleurs aiguës comme l'arthrite, la migraine, l'ankylose scapulohumérale et toute autre forme de blocage. Ils considèrent le shiatsu comme un traitement plus chaleureux et tonifiant qui convient bien aux affections chroniques persistantes pour lesquelles il faut envisager un travail plus long et en profondeur. Il peut arriver aussi qu'un thérapeute commence une séance par l'acupuncture afin de mieux soulager la douleur et accroître la mobilité, avant de recourir au shiatsu pour rétablir l'équilibre souvent perturbé par un Ki déficient en certains points ou le long de certains méridiens. Le shiatsu se rapproche davantage de l'acupuncture japonaise que de la technique chinoise.

L'une des différences fondamentales entre les deux disciplines réside dans le diagnostic. On considère que dans le shiatsu le traitement et le diagnostic sont une seule et même chose, puisqu'ils font chacun intervenir le toucher. C'est-à-dire que tout au long du traitement, le praticien ne cesse d'affiner son diagnostic, de vérifier ses sensations et de modifier la séance en conséquence. Le diagnostic résulte donc de la fusion entre les sensations intuitives suscitées par le travail sur le corps et les connaissances théoriques.

En acupuncture, le processus est très différent et plus intellectualisé. L'acupuncteur commence par prendre le pouls du patient et opte ensuite pour un principe de traitement, en choisissant la combinaison de points sur lesquels il faudra agir pour obtenir l'effet souhaité. Une fois que ce principe et ces points ont été décidés, il est rare que le plan de traitement soit modifié.

L'acupuncture japonaise est sans doute plus intuitive. Le traitement se fonde sur un principe général qui est de trouver les points *kyo*, c'est-à-dire ceux où le Ki est déficient, et de les stimuler. Tantôt, on se fonde sur la *théorie des Cinq Éléments* pour rétablir l'énergie de certains points, tantôt on palpe chaque méridien sur toute sa longueur en piquant rapidement les points déficients avec la pointe d'une aiguille. Il faut noter qu'au Japon, tous les acupuncteurs étudient le shiatsu. Cela fait partie de leur formation. Dans ce cas, le shiatsu est utilisé un peu comme outil pédagogique pour aider les futurs acupuncteurs à « entrer en contact avec le Ki ».

Pour résumer la différence entre le shiatsu et l'acupuncture, on pourrait dire peut-être que le shiatsu agit physiquement sur l'ensemble du corps par la stimulation du Ki le long des méridiens, tandis que l'acupuncture passe d'abord par l'examen du corps pour décider ensuite, en se fondant sur des principes théoriques, quelle combinaison de points produira sur l'organisme l'effet désiré. Pour citer un de mes patients, le shiatsu donne la sensation d'être « traité sur toute sa surface ».

À mes yeux, cette assimilation en un ensemble unique d'éléments qu'il partage avec d'autres disciplines est l'un des grands atouts du shiatsu. Il emprunte à la tradition orientale la théorie du Ki et ses manipulations ; au massage occidental, certaines techniques et des éléments de physiologie ; au magnétisme, l'intuition et l'ouverture à une puissance universelle. Par ailleurs, le shiatsu est parfaitement compatible avec d'autres formes de traitement et même avec la médecine classique. Il n'est pas rare de voir associés le shiatsu et, par exemple, la phytothérapie, ou encore des recommandations d'ordre diététique. Le recours simultané à plusieurs approches thérapeutiques peut étayer l'effet du shiatsu et aider le patient à améliorer son état sur plusieurs plans à la fois. De plus en plus de médecins commencent à s'intéresser aux notions de médecine parallèle et de traitement complémentaire. Il n'est pas inhabituel de voir un médecin traitant se réjouir d'apprendre que son patient reçoit régulièrement des séances de shiatsu. Plusieurs infirmières et physiothérapeutes sont venus assister à mes cours de shiatsu et ceux qui persévèrent jusqu'à un niveau suffisant s'aperçoivent qu'ils peuvent intégrer, avec d'excellents résultats, leur nouvelle connaissance à l'exercice de leur profession.

LE SHIATSU,
UNE VOIE D'ÉPANOUISSEMENT PERSONNEL

La question du développement personnel n'est pas souvent abordée dans les ouvrages consacrés au shiatsu. Pourtant il ne s'agit pas simplement d'une technique qu'on applique dans la pratique de son métier et qu'on laisse ensuite de côté quand on a fini sa journée. Pour *être* un praticien de shiatsu, il faut en assimiler les principes et la théorie de façon telle que le shiatsu participe de chaque aspect de votre vie. De la même manière que le yoga, la méditation ou les arts martiaux peuvent être le miroir qui vous renvoie l'image de votre propre évolution, le shiatsu peut devenir le point focal où se mesure votre relation avec vous-même, avec les autres et avec l'existence. Quand la pratique du shiatsu se passe bien, le diagnostic s'impose de lui-même de façon claire, les gestes techniques se succèdent sans heurt, les intuitions se transforment en certitudes et l'on sait ce que l'on doit dire et faire pour aider à la guérison. En résumé, le bon shiatsu est aussi agréable pour le donneur que pour le receveur.

Souvent, si l'on se lance dans l'étude du shiatsu, c'est parce qu'on l'a découvert en tant que patient et qu'on y reconnaît un moyen de mieux se connaître. Le shiatsu est donc comme un voyage que l'on entreprend pour aller à la recherche de soi. En un sens, l'aide et la guérison que l'on apporte aux autres grâce à cette technique ne sont que les produits dérivés du processus de développement personnel. L'aptitude à soigner est directement proportionnelle au travail qu'un débutant est disposé à accomplir sur lui-même. Un praticien de shiatsu ne peut traiter efficacement les autres si son énergie n'est pas équilibrée. Il ne suffit pas de connaître la théorie et la technique : il faut que le Ki soit fort pour que l'on puisse jouir d'un corps sain et d'une vision harmonieuse de l'existence.

Au cours de leurs études, il arrive que les futurs praticiens de shiatsu voient survenir de grands changements dans leur vie. Avec les connaissances qu'ils acquièrent, avec cette sensibilité nouvelle aux flux énergétiques, leur perception du monde évolue et ils sont souvent confrontés à des questions d'ordre personnel. Ce sont parfois des problèmes relationnels, le besoin de remettre en question son travail ou ses objectifs dans l'existence, un deuil ou une naissance, ou encore la guérison d'une maladie qui durait depuis longtemps. Dans le cadre « propice » d'une classe de shiatsu, ces problèmes peuvent être abordés. Grâce aux principes du shiatsu, il est possible d'apporter un réconfort, de mettre au point un traitement qui aide une personne à traverser une épreuve. On encourage les élèves à s'analyser en profondeur, à se préoccuper de leur propre santé physique, psychologique et spirituelle.

Le développement personnel fait partie intégrante de l'enseignement du shiatsu. Les cours commencent généralement par une séance de *do-in* (c'est-à-dire la pratique du shiatsu sur soi-même), par des étirements, par des exercices de *qi gong* (comparable au *tai-chi*) ou par un simple échauffement. Il peut ensuite y avoir une séance de méditation, des exercices respiratoires, ou d'autres exercices pour développer la sensibilité des élèves et leur conscience du Ki. Cette discipline, acquise au cours de la formation, se poursuit ensuite dans la vie du praticien. Nombreux sont ceux qui pratiquent la méditation, le yoga ou des étirements apparentés au shiatsu comme gymnastique quotidienne. C'est une façon d'entretenir leur forme physique comme leur équilibre psychologique et, bien sûr, la pratique du shiatsu en soi joue un rôle dans la circulation du Ki chez le praticien lui-même. En respirant profondément, en dirigeant son Ki vers le patient, le praticien mobilise son énergie propre et, ce faisant, il favorise le flux du Ki vers les zones déficientes chez son patient. Quand le Ki du praticien est faible ou perturbé, la qualité du traitement en est affectée. De la même façon, quand le Ki est fort et que le praticien est « en forme », il voit s'accroître son aptitude à stimuler le Ki du patient et à favoriser la guérison.

Comme on le voit, le shiatsu fonctionne dans les deux sens. Le praticien apporte sa technique, son expérience et ses connaissances pour servir de catalyseur aux facultés de guérison du patient. Et le patient lui-même apporte au thérapeute le moyen par lequel son art peut s'exprimer. Cet échange d'énergie illustre une des grandes lois de l'univers, à savoir que tout évolue et que l'énergie est animée d'un mouvement constant de fluctuation.

2

L'histoire du shiatsu

Pour trouver les racines du shiatsu, nous devons remonter à la Chine antique, berceau de la médecine orientale sous toutes ses formes. Tout d'abord, il faut bien comprendre que la théorie médicale orientale procède de la philosophie chinoise et en est une partie intégrante. En Occident, nous avons tendance à considérer la médecine comme une discipline indépendante sans aucun élément commun avec, par exemple, la politique, la philosophie ou l'art. Les théories sur lesquelles se fonde la médecine orientale sont quant à elles les mêmes que celles qui sous-tendent la pensée chinoise, la culture, l'art, la religion, la philosophie, la politique, etc. En d'autres termes, les anciens Chinois ont formulé certains principes perçus comme des vérités universelles et ils ont appliqué ces principes aux domaines de la médecine. C'est sans doute la raison pour laquelle la pratique de la médecine orientale s'est perpétuée pendant des siècles sous une forme globalement inchangée, même si l'enseignement moderne en Chine tend à gommer certains aspects parmi les plus ésotériques et philosophiques.

LES ORIGINES DE LA MÉDECINE ORIENTALE

L'histoire de la médecine orientale remonte si loin qu'elle se confond avec le mythe. Nous n'avons aucune certitude sur ses origines, mais on sait néanmoins que la pratique de l'acupuncture date d'au moins 2500 avant J.-C. Il existe un modèle de bronze fabriqué vers 860 après J.-C. qui représente des points d'acupuncture et des méridiens. Le plus anciens des textes médicaux existants est le *Huang Ti Nei Ching Su Wen* ; c'est-à-dire le *Manuel classique de médecine interne de l'Empereur jaune*, attribué à Huang Ti, le légendaire Empereur jaune qui vécut jusqu'aux environs de 2598 avant J.-C. Ce texte reste un ouvrage de référence qui occupe une place importante dans l'enseignement moderne de l'acupuncture. Cependant, les historiens s'interrogent sur la date à laquelle fut rédigé ce manuel et sur son véritable auteur. La mention la plus ancienne du *Nei Ching* remonte aux débuts de la dynastie Han (206 avant J.-C.-220 après J.-C.). Les éditions postérieures et les commentaires sont venus embrouiller davantage encore la question. Toutefois, comme l'affirme Ilza Veith dans son introduction à l'édition du *Nei Ching* (University of California Press) :

> On peut supposer qu'une grande partie du texte existait à l'époque de la dynastie Han et qu'elle remonte à une origine bien plus ancienne, transmise peut-être par la tradition orale depuis les temps les plus reculés de l'histoire chinoise.
>
> *The Yellow Emperor's Classic of Internal Medicine*

Le texte se présente sous la forme d'un dialogue entre l'Empereur jaune et son ministre Ch'i Po. L'empereur pose des questions sur la santé, auxquelles Ch'i Po répond longuement en développant une théorie médicale et des principes philosophiques.

> Cette forme d'écriture permet d'élargir la perspective du texte bien au-delà d'un simple ouvrage médical pour en faire un traité sur l'éthique et le style de vie, qui s'inscrit dans la ligne des croyances religieuses chinoises. À vrai dire, une telle combinaison est la seule manière d'exprimer la théorie médicale de la Chine antique, car la médecine n'était rien d'autre qu'une partie de la philosophie et de la religion, qui prônent toutes deux une union avec la nature, c'est-à-dire avec l'univers.
>
> *Ibid.*

Le *Nei Ching* évoque les facteurs géographiques qui affectèrent à l'origine le développement des techniques médicales en Chine. La médecine était scindée en deux branches distinctes. Les méthodes septentrionales développées dans le bassin du fleuve Jaune, où la végétation était rare et le climat assez froid, englobaient principalement l'acupuncture, le moxa et le massage. La tradition méridionale, née dans la région du Yang-tseu-kiang, où le climat était plus chaud et où poussaient de nombreuses variétés de plantes, avait favorisé l'expansion de la phytothérapie et faisait un usage très étendu de racines, de feuilles et d'écorces. Ces deux traditions s'étaient développées en fonction, bien entendu, des conditions climatiques et environnementales, mais aussi des maladies spécifiques à l'une ou l'autre partie du pays.

Le *Nei Ching* expose en détails quelles sont les maladies qui sévissaient dans chaque région et quelles étaient les formes de traitement appropriées. Ainsi les habitants de l'Est de la Chine « brûlaient de l'intérieur » à cause de leur alimentation composée en grande partie de poisson en saumure qui provoquait de nombreux ulcères. Dans ce cas, c'était l'acupuncture qui donnait les meilleurs résultats. Dans le Nord, c'était le climat froid qui était à l'origine de diverses maladies pour lesquelles le moxa était le traitement approprié. Le moxa consiste à mettre des bâtonnets incandescents d'armoise en contact avec des points précis dans certaines régions du corps pour leur communiquer de la chaleur et stimuler la circulation locale. Chaque région était ainsi passée en revue : le Nord, le Sud, l'Est, l'Ouest et le Centre. Le massage était le traitement qui convenait pour les habitants de la région centrale de la Chine.

La région du centre, la Terre, est un pays plat et humide. Toute chose créée par l'univers se rencontre au centre pour être absorbée par la Terre. Les habitants des régions centrales mangent des aliments variés et n'ont pas à supporter un travail pénible. Leurs maladies sont nombreuses : paralysies complètes, refroidissements et fièvres. Les traitements les mieux appropriés pour ces maladies sont les exercices respiratoires, le massage de la peau et des chairs

ainsi que les exercices des mains et des pieds. C'est pourquoi le traitement par les exercices respiratoires, par le
massage et par les mouvements des membres a son origine
dans les régions centrales.

The Yellow Emperor's Classic of Internal Medicine

C'est sous la dynastie Han (206 avant J.-C.-220 après
J.-C.), lorsque la Chine fut unifiée, que les méthodes septentrionales et méridionales ont été fondues en une théorie
médicale élargie.

Le massage est donc présenté dès les origines comme
l'une des quatre formes classiques de traitement, à côté de
l'acupuncture, du moxa et de la phytothérapie. Le massage
qui se pratiquait à l'époque était appelé *anmo* ou *mo* (*anma*
au Japon). Il combinait des manœuvres de friction et de
pression sur des régions du corps tendues ou douloureuses
(le massage moderne chinois est appelé *tui-na*). Il a sans
doute fallu des siècles d'expériences, d'observations,
d'essais et d'erreurs pour découvrir quels étaient les points
et les parties du corps qu'il convenait de traiter en relation
avec tel ou tel état pathologique. Cette connaissance s'est
transmise du maître à l'élève, de la mère à la fille, par tradition essentiellement orale. En effet, s'il est souvent question
d'acupuncture dans les textes les plus anciens, les manuels
traitant de l'anmo sont relativement rares et englobent
souvent des exercices respiratoires et physiques comme le
qi gong, le tai-chi et le tao yin. Dans son *History of Scientific
Thought* (volume 2), Joseph Needham écrit que le massage
chinois (mo) a néanmoins inspiré plusieurs ouvrages dont
les principaux sont *Le manuel de gymnastique pour entretenir la vie* (date inconnue) et *Huit chapitres pour se mettre
en accord avec la force vitale* de Kao Lien, daté de 1591.

Certains considèrent que le massage comme moyen
d'action sur les flux énergétiques du corps est en fait antérieur à l'acupuncture. D'un point de vue purement pratique,
il semble évidemment logique d'imaginer qu'une méthode
de pression et de friction avec les mains se soit développée
avant le recours à des instruments (en l'occurrence les
aiguilles d'acupuncture). Un autre élément intéressant est
qu'aujourd'hui, la formation des acupuncteurs commence

par la palpation et le massage manuel pour mieux les familiariser avec l'énergie corporelle avant d'en venir à l'utilisation des aiguilles. La découverte relativement récente d'un texte antérieur au *Nei Ching* pourrait bien venir corroborer cette théorie selon laquelle l'acupuncture ne se serait développée qu'après le massage et le moxa. Dans ce texte, « aucun point n'est signalé. Il n'est question que des méridiens entiers, représentant les zones d'influence qu'il convient de stimuler par le moxa. Cela suggère que les méridiens existaient avant les points » (T. Kaptchuk, *Chinese Medicine : The Web that has no Weaver*). L'auteur entend bien sûr par là que la *connaissance* des méridiens et son application thérapeutique ont précédé le travail sur les points d'acupuncture.

INFLUENCES PHILOSOPHIQUES

Comme on l'a déjà signalé, les fondements théoriques de la médecine chinoise participent de la vision du monde, c'est-à-dire de la philosophie orientale. La théorie du Yin et du Yang et celle des Cinq Éléments, qui découlent toutes deux de la notion fondamentale du Tao, sont parmi les principes les plus connus et les plus caractéristiques de cette vision du monde. (Nous reviendrons plus en détail sur ces théories dans le chapitre 3.)

Le Tao, que l'on traduit généralement par la Voie, apporte une explication sur l'origine du monde, sur l'interaction des forces qui sont à l'œuvre dans l'univers et sur la façon dont on peut être en harmonie avec la nature, en adhérant au Tao. On comprend sans peine que les anciens Chinois, qui formaient une société essentiellement agricole, aient développé un système de croyances et un mode de vie qui reflétait les cycles, les forces qu'ils voyaient agir dans la nature. La santé et la longévité d'une personne étaient considérées comme des signes de son adhésion au Tao. Quantité d'anciens textes chinois font ainsi allusion à des sages qui auraient vécu bien plus d'une centaine d'années. Cette philosophie du « cours naturel des événements » a trouvé son expression formelle dans le développement du taoïsme et la rédaction du *Tao-te-king* par Lao-tseu aux environs du sixième siècle avant J.-C. Toutefois le Tao comme le Yin et le Yang sont des notions qui existaient déjà dans la pensée chinoise plusieurs siècles auparavant.

C'est dans le *Yi-king*, le *Livre des mutations*, que se trouve la première mention du couple Yin-Yang. Selon la tradition, c'est Fu Xi (l'équivalent chinois d'Adam) qui aurait inventé les trigrammes originaux représentés dans le *Yi-king* en s'inspirant du dessin aperçu sur la carapace d'une tortue sortie du fleuve Jaune. Si l'on en croit la légende, cela remonterait aux environs de 5000 avant J.-C. Les dates des commentaires sont moins incertaines : ceux du roi Wen et de son fils le duc de Chu auraient été écrits vers 1144 avant J.-C. et d'autres commentaires sont attribués à Confucius (551-479 avant J.-C.). Les études ayant pour objet le *Yi-king* connurent leur apogée au cours de la dynastie Han, c'est-à-dire à l'époque où les théories médicales du nord et du sud de la Chine ont été refondues en une seule science.

La théorie des Cinq Éléments (que l'on traduit souvent par les Cinq Phases ou les Cinq Transformations) fut développée plus tard et indépendamment, du moins à l'origine, de celle du Yin et du Yang. Elle a exercé une influence considérable dans les arts, la culture et la politique. C'est Tsou Yen (environ 340-260 avant J.-C.), principal représentant de l'école philosophique du Yin-Yang, qui associa la doctrine des Cinq Éléments et celle du Yin et du Yang. Les textes classiques comme *L'Axe spirituel*, *Le Classique des difficultés* et *Le Classique du pouls* sont venus par la suite rassembler les connaissances, les recherches, l'évolution philosophique et l'expérience accumulées au cours des siècles par les praticiens de l'art de guérir. Ces ouvrages, ainsi que d'autres, ont valeur de référence en matière de médecine orientale théorique et pratique, et sont encore consultés et respectés par les praticiens du vingtième siècle.

LA THÉORIE MÉDICALE ORIENTALE
SE RÉPAND AU JAPON

Il a fallu attendre le sixième siècle après J.-C. pour observer une migration de ces idées vers le Japon. Le bouddhisme s'y introduisit entre 538 et 552, ouvrant la porte à la philosophie et à la culture chinoises. Le taoïsme, le bouddhisme et le confucianisme sont les trois principaux courants de la pensée chinoise qui intègrent chacun à leur manière et dans des mesures différentes la notion de Tao et celle du Yin et du Yang. Grâce au commerce et aux missions diplomatiques, les contacts entre le Japon et la Chine se sont accrus et, en 608, le prince Shotuku envoya en Chine une délégation japonaise pour étudier la culture et la médecine chinoise. C'est en 984 que fut rédigé le plus vieux texte médical japonais existant : les trente volumes du *Ishinho*, de Tamba Yasuyori.

Toutefois, la médecine orientale ne s'épanouit véritablement qu'au cours de la période d'Edo (1603-1868) lorsque les shoguns Tokugawa tournèrent le dos à l'influence européenne des Hollandais et des Portugais pour encourager le développement des traditions orientales. Ce sont eux qui décrétèrent que la profession de masseur pouvait être accessible aux aveugles, puisqu'ils ont souvent le sens du toucher bien développé. Cependant, leur handicap restreignait leur accès à l'éducation et, inévitablement, l'anma se dépouilla peu à peu de ses aspects médicaux. Les masseurs devinrent moins qualifiés que les médecins et, par voie de conséquence, moins considérés. Il faut dire aussi que les médecins recouraient à toutes les techniques thérapeutiques, mais accordaient une importance particulière au traitement par les plantes, qui exigeait une formation d'autant plus rigoureuse qu'il supposait l'ingestion de substances parfois dangereuses. C'est pourquoi l'art de guérir devint le domaine réservé des médecins et des herboristes, tandis que l'anma était associé principalement à la relaxation et au plaisir.

Cependant, il est intéressant de remarquer qu'il subsista une application médicale du massage pour les femmes enceintes, sous la forme d'une technique typiquement japonaise connue sous le nom d'*ampuku*. L'ampuku est une méthode spéciale de massage abdominal qui fut utilisée pendant des siècles à des fins thérapeutiques. Il peut être efficace pour traiter différents états pathologiques, mais s'applique tout particulièrement aux problèmes gynécologiques et à l'accouchement. Cette pratique est signalée dans un ouvrage de Ploss et Bartels, *The Women*, au chapitre « Midwifery in Japan » (L'obstétrique au Japon). Ainsi, en 1765, un médecin nommé Sigen Kangawa écrivit un ouvrage intitulé le *San-ron*, c'est-à-dire « Description de la naissance ». Kangawa recourait en obstétrique à l'ampuku, un massage utilisé au Japon depuis des temps très anciens pour soulager diverses maladies. Il le décrivait comme une palpation de l'abdomen en exerçant une pression légère et méthodique pour établir un diagnostic de grossesse aussi bien que pour faciliter l'accouchement et pour soulager divers malaises chez les femmes enceintes.

L'HISTOIRE MODERNE DU SHIATSU

La dévaluation du massage anma comme forme de traitement médical s'est poursuivie jusqu'au début du vingtième siècle, où l'on observe un mouvement de renaissance qui marque le début de l'histoire moderne du shiatsu. Le catalyseur fut la publication, en 1919, d'un livre intitulé *Shiatsu Ho* de Tamai Tempaku. L'auteur avait pratiqué l'anma, l'ampuku et le do-in, et avait en outre beaucoup étudié l'anatomie, la physiologie et le massage tels qu'ils sont enseignés en Occident. Son ouvrage faisait la synthèse de ces différents courants et restituait au travail sur le corps la dimension spirituelle de la guérison. Le grand mérite de son œuvre fut de stimuler de nouvelles recherches et l'on compte parmi ses émules un grand nombre de ceux qui apportèrent une contribution déterminante au développement du shiatsu : Katsusuke Serizawa, Tokujiro Namikoshi et Shizuto Masunaga. Rétrospectivement, pour un observateur occidental de cette fin de vingtième siècle, il apparaît que ce sont ces trois hommes, Namikoshi, Masunaga et Serizawa, qui jouèrent un rôle prépondérant dans le développement et l'actuelle popularité du shiatsu.

La méthode Namikoshi

Pour soulager les douleurs de sa mère qui souffrait d'arthrite, Namikoshi recourait à des techniques de friction et de pression. Il avait étudié l'anma, mais continua par la suite à développer sa propre méthode et ouvrit en 1925 l'Institut thérapeutique de shiatsu à Hokkaido. En 1940, il s'installait à Tokyo où il créait l'Institut japonais de shiatsu. En 1955, le shiatsu fut légalement reconnu comme une spécialité intégrée au massage anma et, deux ans plus tard, le ministère de la Santé homologua officiellement l'enseignement dispensé par l'École japonaise de shiatsu. Enfin, en 1964, le shiatsu fut reconnu comme une discipline à part entière, distincte de l'anma et du massage occidental (suédois). Aucun document ne permet d'établir précisément quand le terme *shiatsu* fut inventé, mais il s'agit sans aucun doute d'un nom récent créé dans le souci de distinguer cette technique de l'anma et de l'ampuku.

La contribution majeure de Namikoshi fut l'obtention d'un statut officiel pour le shiatsu, la création d'une école spécialisée et la large diffusion de son enseignement qui fit connaître le shiatsu dans tout le Japon et aussi aux États-Unis. Dans son désir de faire accepter le shiatsu par la pensée scientifique occidentale, Namikoshi avait soin de ne jamais mentionner dans son travail les méridiens, l'énergie et la théorie traditionnelle. Assez ironiquement, c'est cela même qui fait aujourd'hui que sa méthode attire moins la nouvelle génération d'étudiants, qui cherchent dans leur discipline un aspect plus subtil, que l'on pourrait qualifier de spirituel.

La méthode de Tokujiro Namikoshi fut reprise par son fils Toru Namikoshi, qui passa sept ans aux États-Unis et en Europe pour y enseigner le shiatsu. Il est aussi l'auteur d'un ouvrage détaillé sur cette méthode : *The Complete Book of Shiatsu Therapy*. Cette forme de shiatsu recourt à des techniques très physiologiques et symptomatiques et se pratique essentiellement sur des points neuromusculaires ou autour des zones douloureuses.

Le fondement théorique de la méthode Namikoshi suppose une connaissance approfondie des systèmes musculaire, squelettique, nerveux et endocrinien. C'est en somme une approche très occidentale, même si elle conserve certains aspects traditionnels dans sa conception élargie de la santé qui englobe des considérations sur l'alimentation, l'élimination, l'exercice physique et même le rire.

Le shiatsu zen

Plus récemment, une autre figure influente du shiatsu fut Shizuto Masunaga. Alors que Namikoshi recourait à une technique de pression sans tenir compte du système des méridiens, Masunaga entendait ancrer fermement le shiatsu dans la théorie orientale traditionnelle. Psychologue de formation, Masunaga s'intéressait beaucoup aux aspects psychologiques, affectifs et spirituels du déséquilibre énergétique. Il a développé un système qui s'est répandu sous le nom de shiatsu zen et qui vise à déterminer laquelle des fonctions associées aux différents méridiens est perturbée, afin de pouvoir interpréter ce symptôme selon sa théorie de l'équilibre énergétique (connue sous le nom de méthode kyo-jitsu). Masunaga a déterminé des méridiens « supplémentaires » qui sont venus enrichir le réseau traditionnel des méridiens d'acupuncture et qui offrent au praticien plus de latitude pour travailler de façon créative sur l'énergie corporelle. Il a également développé une technique précise et spécifique de diagnostic abdominal. Après la mort de Masunaga, plusieurs maîtres se sont employés à poursuivre son œuvre, tant au Japon qu'en Occident, et le shiatsu zen est désormais largement pratiqué aux États-Unis et en Europe, où les travaux de recherche inspirés des méthodes et des modèles de Masunaga ne cessent d'élargir notre compréhension de la manière dont l'énergie se manifeste et dont on peut agir sur le Ki.

La « *Tsubothérapie* »

Les travaux de Katsusuke Serizawa se sont focalisés sur la nature et les effets des tsubos, c'est-à-dire des points d'acupuncture eux-mêmes. Il a d'abord étudié, selon la théorie traditionnelle de la médecine orientale, la position et les fonctions des tsubos sur les méridiens. Puis il s'est servi de méthodes modernes de mesure électrique pour prouver scientifiquement l'existence des méridiens et de leurs tsubos. Cette importante recherche expérimentale lui valut d'être reçu docteur en médecine en 1961. La « tsubothérapie », pour reprendre le nom que Serizawa donna à sa méthode, se concentre essentiellement sur les qualités thérapeutiques des différents points et recourt au massage, à la pression, à l'acupuncture, au moxa ou à d'autres instruments de stimulation plus modernes tels qu'il en existe actuellement sur le marché. C'est une approche un peu différente du shiatsu classique, mais on pratique aux États-Unis, sous le nom d'« acupressure » une forme de shiatsu dérivée de ce style qui utilise diverses classifications des points d'acupuncture.

AUTRES FORMES DE SHIATSU

On voit que le shiatsu, à l'instar de bien d'autres disciplines, a connu une évolution qui lui est propre et qui a amené certaines personnalités à s'intéresser plus particulièrement à différents aspects du traitement général. Plusieurs styles ont ainsi reçu une appellation particulière selon leur approche théorique ou leur inventeur. On a déjà mentionné la méthode Namikoshi, le shiatsu zen et l'acupressure ou la tsubothérapie. Il y a encore d'autres formes généralement reconnues, parmi lesquelles il faut citer le shiatsu macrobiotique, dont fait partie le « shiatsu aux pieds nus » et qui associe le travail sur les méridiens traditionnels avec un style de vie et d'alimentation inspiré des théories de George Ohsawa, Michio Kushi et Shizuko Yamamoto. L'ohashiatsu, la méthode pratiquée par Wataru Ohashi, incorpore à l'utilisation des méridiens traditionnels divers aspects du shiatsu zen et de la méthode Namikoshi. Le shiatsu des Cinq Éléments est comparable dans sa théorie et dans ses méthodes à l'acupuncture des Cinq Éléments, qui se fonde sur la dynamique des Cinq Éléments et recourt à une classification des différents points selon qu'ils sont associés avec l'un ou l'autre de ces éléments. Cette méthode est surtout pratiquée aux États-Unis. Autre appellation américaine : le « Nippon Shiatsu », qui correspond fondamentalement à la méthode Namikoshi, enrichie par la connaissance des méridiens traditionnels. Parallèlement à ces différents courants, la médecine traditionnelle chinoise, qui s'articule sur l'acupuncture et les vertus thérapeutiques des plantes, a pu fortement influencer certains praticiens. Ils en ont fait leur modèle théorique, bien que, dans la pratique, leur technique soit souvent plus proche du shiatsu zen ou de la méthode Namikoshi que du massage chinois contemporain, le tui-na.

LES ÉLÉMENTS COMMUNS

À lire les paragraphes qui précèdent, on pourrait avoir l'impression que le shiatsu est une discipline très divisée, mais il existe en fait un tronc commun de techniques que se partagent les différents courants et qui est résumé dans le nom même du shiatsu, qui signifie « pression des doigts ». Le praticien peut décrire ses bases théoriques en termes de méridiens et de tsubos, ou encore en termes de point réflexes ou neuromusculaires, il n'en demeure pas moins que le shiatsu recourt à des pressions, des frictions et des étirements du corps pour lui rendre sa vitalité. C'est pourquoi on considère généralement que les praticiens et les élèves peuvent fort bien combiner plusieurs approches. En Angleterre, par exemple, la « Shiatsu Society », l'organisation qui réunit les praticiens du shiatsu, encourage activement le brassage des idées et des approches thérapeutiques en exigeant de ses membres qu'ils aient étudié au moins deux styles de shiatsu. Les futurs praticiens ont ainsi une meilleure compréhension des différentes façons de travailler et l'on évite les dissensions qui ont si souvent marqué l'évolution d'autres disciplines.

Au Japon, le shiatsu demeure très populaire auprès de la génération plus âgée, qui reste attachée à la tradition. Tandis que les jeunes semblent préférer la médecine occidentale. Cependant, les écoles d'arts martiaux continuent à enseigner certaines formes de shiatsu considérées comme l'aspect curatif de leurs disciplines. En revanche, la popularité du shiatsu ne cesse de croître en Europe, aux États-Unis, en Australie et en Nouvelle-Zélande, où de plus en plus de gens recherchent une forme de massage holistique qui intègre une dimension spirituelle ou ésotérique.

Le shiatsu est une discipline qui évolue. Loin de s'enfermer dans le passé ou de se scléroser dans un ensemble de techniques figées, il ne cesse de progresser et de reculer les frontières de notre compréhension de l'énergie Ki et de notre aptitude à diriger dans le corps son potentiel de guérison. Tout en revendiquant et en respectant nos racines historiques et les grands maîtres du passé, nous avons su aller de l'avant et assimiler toutes sortes de techniques spirituelles ou scientifiques pour développer le shiatsu comme une discipline thérapeutique vivante et dynamique.

3

Les principes du shiatsu

Le Tao donna naissance à l'Un,
l'Un donna naissance aux Deux,
les Deux aux Trois,
et les Trois engendrèrent les Dix mille choses.
Toutes choses ont l'ombre derrière elles
et font face à la lumière,
harmonisées par le souffle immatériel.

Lao-tseu, *Le Tao-te-king*

LE KI

Depuis des temps très reculés, les Chinois ont considéré que l'univers était formé d'énergie à divers niveaux de vibration et de manifestation. Aujourd'hui, la physique quantique permet de prouver en laboratoire ce que les anciens Chinois ont su pendant des siècles, c'est-à-dire que dans les particules les plus minuscules qui constituent la forme et la substance de notre univers se trouve l'énergie Ki. En fait, ces particules, qui sont les briques de la matière, ne sont elles-mêmes rien d'autre que du Ki en vibration. Le Ki désigne l'énergie dans son sens le plus large : il est partout, en toute chose ; il n'a ni fin ni commencement ; il englobe le temps, l'espace, la matière, la forme et le mouvement. Tout est Ki et le Ki est tout. Tout ce que nous pouvons concevoir est simplement une manifestation du Ki sous une forme donnée, qui va des éléments les plus subtils, l'esprit, la pensée, l'aura, l'amour, la lumière, l'air... aux substances plus denses et plus matérielles : la terre, la pierre, le métal, les êtres vivants...

Pour quelqu'un élevé dans la culture occidentale, cette conception d'un univers constitué tout entier d'une seule et même « étoffe » paraît assez étrange et difficile à admettre. Il suffit pourtant de songer à quelques exemples simples pour comprendre comment le Ki change constamment sans jamais cesser d'être. Une goutte de rosée qui, dans la fraîcheur de la nuit, se forme par condensation, se réchauffe, puis s'évapore. Elle s'élève alors pour constituer un nuage avant de retomber, par exemple sous la forme de grêlon, et de fondre pour redevenir de l'eau. Un morceau de bois jeté dans le feu brûle et monte dans l'air sous la forme de fumée et de cendres. Les cendres se déposent et se mêlent à la terre pour nourrir une semence qui croît et devient un arbre que l'on abat ensuite pour le brûler... Ce sont là deux petits exemples tout simples de la manière dont les choses changent de forme et de substance, tandis que l'énergie qui les constitue continue à exister.

On pourrait en citer une illustration plus complexe avec le développement d'un être humain depuis le moment de la conception. Les cellules se multiplient pour former progressivement un corps parfait : celui d'un enfant qui vient au monde. Tout au long de la croissance, les cellules meurent et sont renouvelées de sorte qu'à la maturité, l'adulte, dans sa chair, dans son sang et dans ses os, n'est plus fait de la même substance que l'enfant ; et pourtant, c'est toujours la même personne. À la mort, le corps se décompose dans la terre, tandis que l'esprit retourne à ce que les Chinois appelleraient « le Grand Vide ». (Il faut signaler à ce propos que le shiatsu ne professe aucune théorie particulière sur l'au-delà et qu'il est parfaitement compatible avec toutes les religions ou convictions philosophiques.)

On voit à ces exemples que tout ce qui existe est dans un perpétuel état de changement. Même la vie, la croissance et la mort ne sont, au niveau cellulaire le plus élémentaire, que des changements de forme. L'Élément commun, c'est le Ki, c'est-à-dire la substance énergétique de toute chose, qui est aussi la force à l'origine du changement et du mouvement. En résumé, l'univers tout entier est la manifestation du Ki sous une infinité de formes et à d'innombrables degrés de matérialisation. Le Ki est « l'Un » évoqué dans la citation de Lao-tseu au début de ce chapitre. On notera d'ailleurs que la plupart des religions insistent sur le chiffre un : la reconnaissance d'un Dieu unique ou la recherche de l'unité.

Ill. 1 Le symbole du Yin et du Yang

LE YIN ET LE YANG

« L'Un donna naissance aux Deux. » Au début des temps, le Ki de l'univers se divisait en deux forces : le Yin et le Yang. Le Yang était une qualité plus subtile, plus immatérielle et plus vaste. Il s'éleva donc pour former les cieux. Le Yin était plus condensé et plus matériel. Il tomba au fond pour former la Terre. C'est ainsi que les philosophes chinois de l'antiquité expliquaient la création du monde.

La théorie du Yin et du Yang décrit comment le Ki peut prendre des qualités différentes et comment ces forces interagissent. C'est une conception du monde qui remonte à l'époque prétaoïste et qui se fonde sur des siècles d'expérience et d'observation. Il faut bien remarquer qu'il s'agit d'une *théorie*, c'est-à-dire une construction intellectuelle humaine qui nous permet de décrire et de donner un sens au monde réel tel que nous l'appréhendons. Le Ying-Yang est tout à la fois une manière de résumer les mouvements du Ki et de décrire le fonctionnement de l'univers. Mais c'est aussi un mode de pensée. C'est une théorie universelle et, en même temps, un simple instrument de réflexion que nous pouvons appliquer à quantité de phénomènes, par exemple : pourquoi certaines personnes s'entendent-elles bien ensemble et d'autres pas ? Pourquoi certains sont-ils attirés par une activité ou un hobby particulier ? Comment déterminer la meilleure alimentation pour chaque individu ? Pourquoi êtes-vous sujet à certains problèmes de santé ? Comment interviennent les changements politiques et économiques ? Comment la lune influence-t-elle les marées ? Et ainsi de suite... Les possibilités sont infinies.

Si nous examinons le symbole du Yin et du Yang, nous pouvons constater qu'il illustre les principes fondamentaux de la théorie.

1. Le cercle symbolise la plénitude et l'infinité du Ki, qui n'a ni commencement ni fin et imprègne toute chose.

2. La ligne qui sépare les deux forces est courbe. Elle traduit le mouvement et le flux constant du Yin vers le Yang et inversement.

3. Chaque couleur comprend un point de la couleur opposée. Cela montre qu'il n'y a rien d'absolu et que toute chose porte en soi le germe de son contraire. Le Yin et le Yang sont peut-être opposés, mais ils n'existent pas l'un sans l'autre : il n'y a pas de haut sans bas, pas de chaud sans froid. Au sein de ce qui est Yin ou de ce qui est Yang, on peut encore établir de nouvelles distinctions relatives. Ainsi, dans le chaud, il y a le tiède (plus Yin) et le brûlant (plus Yang) ; dans le froid, il y a le frais (plus Yang) et le glacial (plus Yin).

4. Les deux couleurs existent en proportions égales, créant un équilibre dynamique. Lorsqu'un aspect prend plus

d'importance, l'autre diminue d'autant, et à leurs extrêmes, ils se transforment pour engendrer leur contraire.

La dynamique du Yin et du Yang est donc une théorie très souple qui englobe tout. Les qualités qu'elle distingue ne sont pas exclusives, mais complémentaires et relatives. La vie n'est pas en noir et blanc, elle passe par toutes les couleurs du spectre et change sans cesse.

À l'origine, le Yin et le Yang désignaient respectivement le versant ombragé et le versant ensoleillé d'une colline. Le Yin a donc été associé à l'obscurité, au froid, au repos, à l'immobilité ; le Yang représentait son contraire : la lumière, la chaleur, l'activité, le mouvement. Avec l'association du Yang au ciel et du Yin à la Terre, toute une série d'autres qualités sont venues s'ajouter à chaque catégorie, mais il ne faut pas perdre de vue qu'elles sont relatives. Les principales sont les suivantes :

Yang	Yin
Ciel	Terre
lumière	obscurité
chaud	froid
sec	humide
soleil	lune
feu	eau
actif	passif
mouvement	repos
dur	mou
expansion	contraction
montée	descente
immatériel	matériel
masculin	féminin

D'un point de vue médical, le Yin-Yang est le principe de diagnostic fondamental qui sert à mesurer l'état du Ki chez un individu et à décrire la nature et la localisation des maladies.

Dans le corps humain, les aspects Yin et Yang peuvent être classés comme suit :

Yang	Yin
dos	face
face externe des membres	face interne des membres
surface	profondeur
extérieur	intérieur
haut du corps	bas du corps
extraverti	introverti
plus physique	plus intellectuel
côté gauche	côté droit
aigu	chronique

Le Yin-Yang permet de porter une appréciation générale sur le Ki d'une personne. Nous avons tous une tendance constitutionnelle à être naturellement plutôt Yin ou plutôt Yang. Mais si, à une période donnée, les forces Yin ou Yang viennent à prédominer largement dans notre organisme ou dans notre esprit, il se crée un déséquilibre qui se traduit par des symptômes relevant de l'une ou l'autre catégorie. En s'inspirant des tableaux ci-dessus pour appréhender les qualités du Yin et du Yang, on peut concevoir que les symptômes, ou d'une manière générale les déséquilibres, associés à une prédominance du Yang, prendront la forme de stress, de tension, d'hyperactivité, de fièvre, bref d'énergie « bloquée ». L'excès de Yin se traduira par de la fatigue, de la léthargie, un sentiment d'hébétude, des frissons, bref une énergie « déficiente ». La théorie du Yin et du Yang nous aide donc à apprécier la constitution d'une personne, autrement dit ses tendances à long terme, et son état, autrement dit les symptômes à court terme.

LES CINQ ÉLÉMENTS

Les Cinq Éléments représentent une autre classification du Yin et du Yang sous différentes formes de Ki décrites par les qualités du Métal, de l'Eau, du Bois, du Feu et de la Terre. Il faut noter cependant que le mot « Élément » a une connotation quelque peu immuable qui est absente de l'expression chinoise. C'est pourquoi, souvent, on parle plutôt de *Cinq*

Transformations ou *Cinq Phases de mutation*. Les éléments eux-mêmes représentent en fait des étapes et processus de transformation du Ki. Pour les praticiens du shiatsu et d'autres formes de médecine orientale, les Cinq Éléments constituent un cadre de référence très utile car plus tangible et donc plus facile à appréhender que les qualités parfois un peu nébuleuses du Yin et Yang. Les Cinq Éléments, tout comme le Yin et le Yang, traduisent une vision du monde née de l'observation des cycles de la nature et de l'interaction des phénomènes.

La théorie des Cinq Éléments comprend deux aspects : d'abord, le regroupement, par un système de *correspondances*, de choses ou de phénomènes qui présentent une qualité énergétique similaire, et ensuite, la circulation de l'énergie entre ces éléments selon des séquences bien définies, les *cycles*.

Chaque élément a ses propres qualités que l'intuition et le bon sens permettent de deviner. Ainsi, l'énergie du Bois correspond aux sentiments de montée, d'expansion et de croissance que l'on éprouve au printemps quand la nature s'éveille après l'hiver et s'anime sous cette poussée d'activité qui marque le début de l'année. La qualité du Feu est le Yang suprême du plein été, quand la nature est à l'apogée de sa croissance, avec ses arbres au feuillage dense et ses fleurs épanouies. La Terre est l'élément du centre, le point d'équilibre où l'énergie entame son mouvement descendant. Elle est associée à l'été indien et, par extension, aux derniers jours de chaque saison lorsque le Ki se transforme pour aborder la phase suivante. L'énergie du Métal est un mouvement d'intériorisation et de consolidation comme la sève qui redescend dans les arbres à l'automne. Il condense les choses dans leurs éléments constituants et en définit les frontières, comme une brume d'automne qui se dépose dans une vallée, incapable de s'élever et de s'évaporer. L'Eau est le Yin suprême. C'est l'immobilité froide et paisible de l'hiver. Elle a une sorte de qualité latente que l'on pourrait décrire comme un « potentiel accumulé », mais elle garde toujours cette fluidité de l'eau qui épouse la forme de n'importe quel récipient et cette puissance dévastatrice des flots.

Les *correspondances* des Cinq Éléments associent des phénomènes dans lesquels on perçoit une qualité d'énergie similaire, un peu comme un ensemble d'instruments de musique qui joueraient tous la même note.

Tableau des correspondances générales

ÉLÉMENT	Bois	Feu	Terre	Métal	Eau
SAISON	printemps	été	fin de l'été	automne	hiver
ACTION	naissance	croissance	transformation	moisson	stockage
PHÉNOMÈNE	vent	chaleur	humidité	sécheresse	froidure
COULEUR	vert	rouge	jaune	blanc	noir/bleu

Appliqués au corps et à l'esprit humains, les Cinq Éléments se révèlent un précieux outil de diagnostic pour apprécier où et comment l'équilibre du Ki a été perturbé dans l'organisme.

Tableau des correspondances humaines

ÉLÉMENT	Bois	Feu	Terre	Métal	Eau
ORGANE YIN	foie	cœur/ maître du cœur	rate	poumons	reins
ORGANE YANG	vésicule biliaire	intestin grêle triple réchauffeur	estomac	gros intestin	vessie
TISSU	muscles	vaisseaux sanguins	chair	peau	os
SENS	vue	parole	goût	odorat	ouïe
GOÛT	aigre	amer	sucré	épicé	salé
SON	cri	rire	chant	pleurs	gémissement
ÉMOTION POSITIVE	gaieté	joie	sympathie	optimisme	courage
ÉMOTION NÉGATIVE	colère	hystérie	apitoiement sur soi	chagrin/ mélancolie	angoisse/peur
APTITUDE	organisation	conscience spirituelle	idées/ opinions	analyse	ambition/ volonté

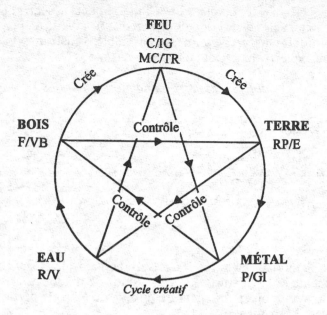

Ill. 2 Les cycles Shen et Ko des Cinq Éléments

Nous reviendrons sur les applications pratiques des correspondances des Cinq Éléments un peu plus loin dans ce chapitre et dans le chapitre suivant quand nous envisagerons certains cas particuliers.

L'autre aspect important de la théorie des Cinq Éléments est sa description très détaillée du flux énergétique à travers le cycle créatif (Shen) et le cycle de contrôle (Ko) (illustration 2). Sur le cycle créatif, chaque élément engendre le suivant : le bois crée le Feu, qui lui-même crée la Terre et ainsi de suite le long du cercle. Le cycle des saisons en est un bon exemple : au printemps (la phase du Bois) l'énergie du monde s'élève et s'embrase pour atteindre l'activité intense de l'été (phase du Feu) qui se transforme ensuite en été indien (phase de la Terre). L'été indien débouche sur la maturation des fruits et sur les récoltes de l'automne (phase du Métal), puis le Ki s'accumule et reste au repos pendant l'hiver (phase de l'Eau), avant de recommencer le cycle au printemps. Le cycle de contrôle, représenté par l'étoile à cinq branches dans l'illustration 2, montre la manière dont chaque élément est limité par un autre dans son processus d'extension qui, sans cela, serait infini. Cette fois encore, il suffit de regarder la nature pour expliquer les mécanismes qui sont à l'œuvre : l'Eau éteint le Feu, le Feu fait fondre le Métal, le Métal coupe le Bois, le Bois (les arbres) stabilise la Terre et la Terre permet d'endiguer l'Eau.

COMMENT LE KI AGIT DANS L'ORGANISME

Quand on applique au corps humain les théories générales du Yin et du Yang et des Cinq Éléments, on en retire une description très pertinente de la façon dont le Ki circule et s'équilibre. La santé exige un flux harmonieux et sans entrave du Ki dans toutes les parties du corps, un peu comme un réseau de fleuves et de rivières irriguant une région. Et puisque l'esprit, les émotions et l'humeur ne sont qu'un aspect plus subtil du Ki corporel d'un individu, son équilibre mental dépend également de la circulation harmonieuse du Ki. C'est là l'essence même de l'approche holistique propre à la médecine orientale et au shiatsu en particulier : quel que soit le niveau (physique, psychologique ou spirituel) où se situe le déséquilibre du Ki, il est possible, en touchant le corps, de le percevoir et, grâce à une technique de pressions, de frictions et d'étirements, de rétablir l'harmonie.

Notre Ki vient de trois sources fondamentales. Le *Ki originel* nous est transmis par nos parents. On pourrait dire qu'il s'agit de notre patrimoine génétique qui détermine notre constitution de base. Le *Ki grain* est celui que nous apporte notre alimentation. Le *Ki air* est l'énergie que nous tirons de la respiration. C'est l'association de ces trois sources qui détermine la qualité globale de notre Ki.

Le Ki a cinq fonction de base dans l'organisme :

1. *Le mouvement* : c'est-à-dire toutes les formes d'activités physiques ou mentales, volontaires ou involontaires.

49

2. *La protection* : c'est la défense du corps contre les agressions extérieures comme le froid, le vent, les infections, etc.

3. *La chaleur* : le Ki entretient la chaleur de toutes les parties du corps ; il règle la température et la circulation périphérique.

4. *La transformation* : c'est grâce au Ki que s'opère l'assimilation des aliments nécessaires à une bonne santé.

5. *La rétention* : c'est-à-dire maintenir les organes en place, éviter les hémorragies, etc.

L'acupuncture chinoise dispose d'une classification très complexe et élaborée des différentes manifestations physiques et mentales du Ki. C'est une théorie qui intéresse également les praticiens du shiatsu, mais il n'est pas nécessaire ici d'entrer dans le détail. Relevons simplement deux aspects du Ki auxquels nous pourrons avoir à nous référer : le *Jing* et le *Shen*. Il s'agit là des termes chinois, mais ce sont eux qui ont été le plus souvent retenus dans la pratique du shiatsu, de préférence à leurs équivalents japonais. Le Jing est l'énergie essentielle qui gouverne les processus à long terme comme la croissance, le vieillissement et la mort. C'est de lui que dépend notre aptitude à avoir des enfants ou encore l'emprise que l'âge peut avoir sur nous. Le Jing est situé dans la région lombaire. Le Shen, que l'on peut traduire par « esprit » ou « conscience », englobe en fait toutes les facettes de notre personnalité. Il concerne à la fois nos sentiments, nos émotions et notre conscience individuelle. Le Shen réside, dit-on, au niveau du cœur.

LES CAUSES DE DÉSÉQUILIBRE

Qu'est-ce qui perturbe la circulation du Ki dans l'organisme ? En réalité, il n'y a jamais une seule cause, mais bien un réseau de facteurs qui se combinent parfois pour se manifester sous la forme d'un schéma de déséquilibre particulier.

La médecine orientale répartit les sources de déséquilibre en trois catégories de base : les facteurs internes ou émotionnels, les facteurs externes ou climatiques, et les facteurs associés au mode de vie ou divers.

Les sept principales émotions sont la joie, la tristesse, l'angoisse, la peur, l'inquiétude, la pensée obsédante et la colère. Chacune est associée à un méridien particulier. Par exemple la joie affecte le méridien du cœur ; la colère, celui du foie ; l'angoisse, celui des reins et ainsi de suite. Ces associations seront détaillées un peu plus loin dans ce chapitre (page 56), dans la partie qui traite des déséquilibres des méridiens.

Les facteurs externes peuvent être assimilés aux conditions météorologiques. On voit d'ailleurs souvent des maladies se déclarer au passage d'une saison à l'autre ou lorsque le temps change brutalement. Dans de nombreux cas, les symptômes qui apparaissent ont les mêmes caractéristiques que les conditions météorologiques qui en sont responsables. Ici encore, il y a des associations particulières avec les Cinq Éléments. Par exemple, le froid affecte l'élément Eau et provoque des symptômes de frissons et de tremblements. Le vent provoque des symptômes qui se déplacent dans l'organisme, et il est associé à l'élément Bois. La chaleur, en relation avec l'élément Feu, provoque des fièvres, fait transpirer et donne soif. L'humidité provoque des écoulements, des mucosités et des sensations de lourdeur dans la tête et les membres. C'est l'élément Terre qui est principalement affecté. La sécheresse concerne l'élément Métal et les symptômes qui l'accompagnent sont une toux sèche, une peau craquelée et de la constipation.

Quant aux facteurs divers, l'expression est assez explicite : ce sont le mode de vie, le stress, l'alimentation, l'activité physique et sexuelle, les blessures, les morsures, les piqûres, les traitements médicaux inadéquats et l'usage abusif de drogues ou de médicaments.

C'est en comprenant comment et où le Ki a pu être perturbé que l'on peut se faire une idée de la manière dont il faudra rétablir l'équilibre.

LES MÉRIDIENS

Le Ki circule dans tout le corps, mais il se concentre davantage le long de certains canaux connus sous le nom de *méridiens*. Les méridiens forment tout un circuit de lignes continues qui acheminent les différents aspects du Ki partout dans l'organisme. Chaque méridien porte le nom d'un organe physique. Par exemple, le méridien du Cœur, le méridien des Poumons, le méridien de la Vessie. Toutefois, ces méridiens ne concernent pas simplement cet organe, mais englobent toute une série de significations qui s'articulent autour d'une *fonction* particulière. D'ailleurs, la meilleure façon de définir un méridien est bien de parler en termes de fonction. Plutôt que de penser au méridien comme à un canal attaché à un organe donné, il faut le regarder comme la concentration d'une énergie fonctionnelle particulière dans notre corps. Et c'est à l'endroit où cette concentration atteint son point d'intensité maximal qu'elle crée un organe physique pour remplir cette fonction. La connaissance du parcours des méridiens s'est développée à travers des siècles d'observation et d'expérimentation clinique. Et il est aujourd'hui possible de le vérifier scientifiquement grâce aux mesures d'instruments électroniques. Les praticiens de shiatsu apprennent à repérer les méridiens en développant leur sensibilité au toucher.

Comme on le voit sur l'illustration 3, il y a douze méridiens qui courent sur la surface du corps, aussi bien devant que derrière, et deux canaux centraux. Les méridiens sont classés par éléments en paires Yin et Yang et selon leur fonction. Si vous vous représentez quelqu'un qui se tient debout les bras tendu vers le ciel, les méridiens Yang partent du « Grand Yang », c'est-à-dire le ciel, et descendent le long du dos et sur la face extérieure des membres. Tandis que les méridiens Yin partent du « Grand Yin », la Terre, et remontent sur l'avant du corps et sur les faces intérieures des membres. Chaque élément a une qualité énergétique particulière qui régit une fonction donnée. Celle-ci est assurée par une paire de méridiens qui ne sont en fait rien d'autre que les aspects Yin et Yang de la même fonction Ki, un peu comme les deux faces d'une même pièce. Le tableau suivant décrit les fonctions des méridiens selon la théorie du shiatsu zen (qui est la méthode que je pratique). Vous aurez peut-être intérêt à vous reporter au tableau des correspondances humaines des cinq éléments pour mieux comprendre certaines connexions (page 47).

Élément	Méridien	Aspect	Fonction
Métal	Poumons	Yin	Apport de Ki (air) et vitalité
	Gros intestin	Yang	Élimination
Terre	Estomac	Yang	Apport de nourriture
	Rate/Pancréas	Yin	Digestion et transformation
Feu (primaire)	Cœur	Yin	Emotions et vie spirituelle
	Intestin grêle	Yang	Assimilation
Eau	Vessie	Yang	Purification
	Reins	Yin	Élan vital
Feu (secondaire)	Maître du Cœur	Yin	Circulation
	Triple Réchauffeur	Yang	Protection
Bois	Vésicule biliaire	Yang	Prise de décision et distribution
	Foie	Yin	Contrôle et organisation, détoxication

Vous remarquerez que l'ordre dans lequel les méridiens sont présentés ici ne suit pas l'ordre de succession des Cinq Éléments autour du cycle créatif. Cela s'explique par la théorie des méridiens qui veut que le Ki passe d'un méridien à l'autre en formant une boucle ininterrompue. C'est pourquoi le méridien des Poumons se termine près de l'endroit où commence le méridien du Gros Intestin, qui s'achève non loin du point de départ du méridien de l'Estomac, et ainsi de suite. Chaque méridien est également associé à un moment de la journée où son énergie est la plus forte. C'est parfois un précieux instrument de diagnostic pour déterminer quels sont les points forts et les points faibles d'un individu. En ce qui me concerne, par exemple, je suis plutôt un oiseau de nuit qui se plaît à travailler tard, jusqu'à trois heures du matin. Cela veut dire que chez moi, les fonctions de la Vésicule biliaire et du Foie ont une énergie assez forte. En revanche, j'ai toujours un passage à vide entre trois et cinq

cinq heures de l'après-midi, c'est-à-dire au moment associé aux fonctions de la Vessie, qui n'est décidément pas mon méridien le plus fort. Cet aspect de la théorie des méridiens s'appelle le *cycle de l'horloge chinoise*, qui se présente de la manière suivante :

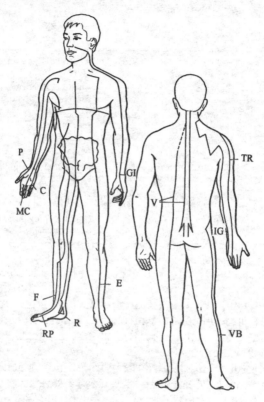

Ill. 3 Les méridiens

3 – 5 heures	Poumons (P)
5 – 7 heures	Gros Intestin (GI)
7 – 9 heures	Estomac (E)
9 – 11 heures	Rate/Pancréas (RP)
11 – 13 heures	Cœur (C)
13 – 15 heures	Intestin grêle (IG)

15 – 17 heures	Vessie (V)
17 – 19 heures	Reins (R)
19 – 21 heures	Maître du Cœur (MC)
21 – 23 heures	Triple Réchauffeur (TR)
23 – 1 heure	Vésicule biliaire (VP)
1 – 3 heures	Foie (F)

Avant de passer en revue les symptômes spécifiques qui peuvent indiquer un déséquilibre sur l'un ou l'autre des méridiens, il convient d'expliquer la nature et la fonction de ces deux méridiens qui ne portent pas le nom d'un organe physique, à savoir le Maître du Cœur et le Triple Réchauffeur. Le rôle du Maître du Cœur est complémentaire à celui du méridien du Cœur. On l'appelle aussi parfois Protecteur du Cœur ou Péricarde (d'après la membrane qui entoure le cœur) et sa fonction est tout à la fois de protéger le cœur et de contrôler le processus physique qui consiste à pomper le sang pour assurer la circulation dans les vaisseaux. Si l'on distingue la fonction cardiaque de la conception métaphorique que l'on associe au cœur en Occident, on peut dire que le méridien du Cœur gouverne les émotions et les sentiments tandis que le Maître du Cœur régit l'organe physique et le système circulatoire.

Depuis les premiers ouvrages laissés par les Chinois sur la dimension médicale du Ki, le Triple Réchauffeur n'a cessé d'être au centre de discussions et de querelles d'école. C'est une traduction assez plate des « trois foyers » qui désignent les trois chakras centraux du corps. Ces centres énergétiques correspondent au cœur, au plexus solaire et au *tanden* (à trois largeurs de doigt sous le nombril). Le Triple Réchauffeur a un effet bien plus étendu que les autres méridiens. Il régit notre température, un peu à la manière d'un thermostat, et c'est lui qui assure et contrôle la production de chaleur dans tout le corps, à la différence du Maître du Cœur qui agit sur la température par la circulation sanguine. Bien qu'il soit associé, ainsi que le Maître du Cœur, au Feu secondaire (les méridiens du Cœur et de l'Intestin grêle correspondant pour leur part au Feu primaire), le Triple Réchauffeur est en relation étroite avec l'élément Eau. C'est lui qui gouverne les voies de passage dans l'organisme et qui est donc responsable de la circulation des fluides et du Ki.

Le *Manuel classique de médecine interne de l'Empereur Jaune* compare le Réchauffeur supérieur à une « brume », le Réchauffeur moyen à une « écume » et le Réchauffeur inférieur à un « marais ». Dans une large mesure, chacun des trois Réchauffeurs se rattache aux organes qui en sont proches. Ainsi, le réchauffeur supérieur est en relation avec le Cœur et les Poumons ; le réchauffeur moyen, avec l'Estomac et la Rate ; et le Réchauffeur inférieur, avec le Foie, les Reins, la Vessie et les Intestins. Le shiatsu zen emprunte cette théorie à la médecine chinoise traditionnelle et l'élargit à une conception plus moderne pour associer également le Triple Réchauffeur au fonctionnement des systèmes lymphatique et immunitaire.

Affinités des méridiens et déséquilibres qui leur sont associés

Nous allons maintenant examiner en détail la fonction de chaque méridien, ses associations physiques et psychologiques, ainsi que les symptômes ou états pathologiques qui se développent lorsque son énergie est perturbée. Comme je l'ai déjà dit, il existe différentes approches théoriques du shiatsu. Celle qui est développée dans cet ouvrage tient à la fois du shiatsu zen et de la médecine traditionnelle chinoise. C'est cette combinaison que j'utilise dans l'exercice de ma profession. Lorsque je me réfère à cette théorie, je me concentre davantage sur ses applications pratiques et son esprit général que sur sa dimension classique ou ésotérique. C'est pourquoi, dans la description qui suit, un acupuncteur chinois, par exemple, pourrait être dérouté par certains éléments qui ne lui sont pas familiers tandis qu'il lui semblerait que j'en néglige d'autres. Cependant, le shiatsu zen, avec cette façon qu'il a d'interpréter la théorie orientale traditionnelle à la lumière de la psychologie moderne, m'apparaît dans mon travail comme un système très satisfaisant. Il m'est en tout cas d'un grand secours pour expliquer leur état à mes patients dans des termes qu'ils soient à même de comprendre. À nouveau, vous aurez peut-être avantage à vous reporter au tableau des correspondances humaines des Cinq Éléments (page 47).

Poumons

- Fonctions : vitalité, apport de Ki par l'air que l'on respire ; faculté d'absorber de nouvelles influences.
- Associations physiques : poumons ; nez ; peau.
- Déséquilibres physiques : toute affection respiratoire ou pulmonaire, notamment l'asthme, l'emphysème, la toux et les sensations d'oppression ; congestion nasale et sinusite ; problèmes de peau, eczéma, dessèchement...
- Associations psychologiques : facultés d'analyse et de discrimination ; esprit positif ; faculté d'exprimer ses sentiments ; conscience de sa valeur ; conscience individuelle.
- Déséquilibres psychologiques : solitude et isolement ; dépression, mélancolie ; esprit négatif ; autodépréciation.

Gros Intestin

- Fonctions : vitalité ; élimination et excrétion.
- Associations physiques : intestins ; peau ; nez ; sinus.
- Déséquilibres physiques : tous les problèmes liés au gros intestin, notamment la constipation, la diarrhée, la colique, la diverticulite ; problèmes de peau ; hypersécrétion des muqueuses et catarrhe.
- Associations psychologiques : facultés de se « laisser aller » ; distinction entre soi et la réalité extérieure.
- Déséquilibres psychologiques : incapacité à se laisser aller ; trop grande raideur (aussi si bien mentalement que dans l'attitude physique) ; isolement ; négativité dans les pensées ou dans la conception du monde.

Estomac

- Fonctions : subsistance ; absorption d'aliments et d'autres formes de nourriture (spirituelle, émotionnelle ou sociale, par exemple) ; première phase de la digestion.

• Associations physiques : estomac et voies supérieures de l'appareil digestif ; chair ; mastication ; bouche et lèvres ; mécanisme de l'appétit ; seins et ovaires ; toutes sortes de fonctions cycliques, comme les règles, le sommeil ou l'appétit.

• Déséquilibres physiques : tout ce qui affecte l'estomac, notamment l'ulcère, la hernie hiatale, l'indigestion, les nausées et le vomissement ; problèmes de poids ; ulcère de la bouche ; troubles de l'appétit ; boulimie ; anorexie ; mastite et troubles de l'allaitement ; affections diverses des ovaires, kystes, fibromes, endométrioses, ptoses ; irrégularité des fonctions cycliques.

• Associations psychologiques : réflexion, idées et opinions ; l'esprit et l'intellect ; sentiment d'harmonie avec la terre ; attachement à son foyer et à sa famille ; sympathie ; amour maternel.

• Déséquilibres psychologiques : surmenage intellectuel, inquiétude, confusion mentale, obsession et dogmatisme ; instabilité ; anxiété ; incapacité à se sentir « à l'aise » quelque part ; apitoiement sur soi ; chicanerie ; frustration.

Rate/Pancréas

• Fonctions : subsistance ; acheminement et transformation du Ki ; digestion ; cycles reproducteurs.

• Associations physiques : sécrétion des sucs digestifs et digestion ; appétit ; chair et graisses ; cycle menstruel ; hémostase et coagulation.

• Déséquilibres physiques : problèmes digestifs liés à une sécrétion insuffisante ou excessive de sucs digestifs ; diabète et hypoglycémie ; boulimie ou manque d'appétit ; problèmes de poids ; règles douloureuses ; ménorragie ; aménorrée ; anémie et hémorragie.

• Associations psychologiques : comme le méridien de l'Estomac.

• Déséquilibres psychologiques : comme le méridien de l'Estomac.

Cœur

• Fonctions : conscience ; siège des émotions, c'est par lui que nous interprétons notre environnement ; circulation sanguine.

• Associations physiques : le cœur ; le système nerveux central ; la langue et la parole ; la transpiration.

• Déséquilibres physiques : troubles cardiaques et problèmes circulatoires (ces affections sont d'ordinaire plutôt liées au Maître du Cœur, mais elles peuvent également relever du méridien du Cœur) ; palpitations ; problèmes d'élocution, notamment le bégaiement ; transpiration excessive (souvent la nuit).

• Associations psychologiques : le cœur est le siège du Shen, c'est-à-dire de la pensée, l'esprit qui fait de nous des êtres humains ; conscience humaine, compassion ; émotions et équilibre psychologique ; joie, rire ; aptitude à s'exprimer et à communiquer ; sommeil ; mémoire à long terme.

• Déséquilibres psychologiques : manque de compassion et d'empathie, troubles de la personnalité, agitation ; instabilité émotionnelle ; apathie ; réactions affectives hors de propos ; hystérie ; problèmes d'élocution et incapacité à communiquer ; insomnie, cauchemars ; troubles de la mémoire.

Intestin grêle

• Fonctions : assimilation ; absorption des aliments dans le sang ; séparation de ce qui est bon et de ce qui ne l'est pas pour le corps et l'esprit (c'est-à-dire, pour reprendre la formule consacrée, « séparer le pur et l'impur »).

• Associations physiques : intestin grêle ; résorption des aliments à travers les parois intestinales et passage dans le sang.

• Déséquilibres physiques : mauvaise absorption des éléments nutritifs, fermentation intestinale ; douleurs abdominales ; anémie.

- Associations psychologiques : clarté de jugement (discernement) ; aptitude à surmonter l'anxiété ou les chocs émotionnels ; détermination.
- Déséquilibres psychologiques : incapacité à prendre une décision ; jugement confus ; réactions inadéquates au choc.

Vessie

- Fonctions : purification ; collecte et excrétion de l'urine.
- Associations physiques : système urinaire ; métabolisme de l'eau ; os et dents ; cheveux ; oreilles ; colonne vertébrale ; système neurovégétatif.
- Déséquilibres physiques : problèmes urinaires, notamment l'incontinence, la rétention d'urine, l'hypertrophie de la prostate ; maladies osseuses, notamment l'ostéoporose et certaines formes d'arthrites ; mauvaises dents ; calvitie ou canitie précoces ; problèmes d'audition et vertiges ; douleurs ou faiblesse dans le bas du dos ; suractivité de la branche sympathique ou parasympathique du système neurovégétatif qui se traduit par une réaction inadéquate au stress, une incapacité à se détendre ou de l'abattement.
- Associations psychologiques : caractère changeant ; courage.
- Déséquilibres psychologiques : nervosité ; appréhension et timidité ; imprudence.

Reins

- Fonctions : élan vital ; volonté et ambition ; siège du Jing qui régit l'activité sexuelle et la reproduction.
- Associations physiques : les reins ; le système endocrinien ; les hormones ; le système reproducteur ; l'activité sexuelle ; l'espérance de vie ; la vitalité ; l'énergie ; le métabolisme de l'eau ; les oreilles ; les os et les dents ; le bas du dos ; l'hérédité.
- Déséquilibres physiques : toutes les affections rénales ; déséquilibre hormonal ou endocrinien, problèmes sexuels ; perturbations du développement physique, qu'il s'agisse

de la croissance, de la puberté ou du vieillissement ; fatigue ou épuisement chroniques ; rétention d'eau et problèmes liés au métabolisme de l'eau ; problèmes d'audition et d'équilibre ; démarche mal assurée ; prédisposition aux accidents ; fragilité des os et des dents ; faiblesse ; douleurs ou sensations de froid dans le bas du dos ; maladies congénitales et héréditaires.

• Associations psychologiques : volonté, ambition ; Ki ancestral transmis par hérédité ; courage ; versatilité des émotions ; mémoire à court terme.

• Déséquilibres psychologiques : manque de détermination et d'ambition ; troubles psychiques héréditaires ; angoisse et phobies ; nervosité et impatience ; perte de mémoire.

Maître du Cœur

• Fonctions : circulation ; protège le cœur et régit le système circulatoire.

• Associations physiques : le cœur ; les artères et les veines ; la pression sanguine.

• Déséquilibres physiques : maladies cardiaques ; problèmes vasculaires, notamment l'artériosclérose, les varices ; mauvaise circulation du sang ; problèmes de tension ; oppression ; angine de poitrine ; palpitations.

• Associations psychologiques : protection des émotions et du Shen ; relations sociales ; sommeil et rêves.

• Déséquilibres psychologiques : comportement surprotecteur ou surprotégé, vulnérabilité affective ; nervosité dans la vie sociale ; insomnies, cauchemars et problèmes liés aux rêves.

Triple Réchauffeur

• Fonctions : protection ; harmonise les fonctions générales des Réchauffeurs supérieur, moyen et inférieur ; c'est le « thermostat » du corps ; protection immunitaire grâce au système lymphatique ; régit la circulation des fluides.

• Associations physiques : le Réchauffeur supérieur, qui correspond au Cœur et aux Poumons, contrôle la circulation et la respiration ; le Réchauffeur moyen, qui correspond à l'Estomac et à la Rate, régit la digestion et le transit des aliments ; le Réchauffeur inférieur, qui correspond aux Reins, à la Vessie, au Foie et aux Intestins, opère la séparation des aliments assimilables et des déchets qui sont ensuite évacués ; régulation thermique ; système lymphatique, système immunitaire.

• Déséquilibres physiques : perturbation des trois Réchauffeurs et des fonctions qui leur sont associées ; mauvaise régulation thermique ; mauvaise circulation ; sensations de froid ou de chaleur excessives ; problèmes liés au système lymphatique, rétention de fluides et de toxines ; troubles du système immunitaire ; allergies ; résistance insuffisante aux affections ou aux maladies.

• Associations psychologiques : interaction sociale ; protection des émotions.

• Déséquilibres psychologiques : manque de chaleur dans les relations sociales ; comportement surprotecteur ou surprotégé.

Vésicule biliaire

• Fonctions : accumulation et distribution ; collecte et sécrète la bile ; régit la motricité ; contrôle le jugement.

• Associations physiques : vésicule biliaire ; flancs ; articulations, muscles et tendons ; digestion des graisses ; yeux.

• Déséquilibres physiques : calculs biliaires et affection de la vésicule ; raideur dans les mouvements, manque de souplesse, certaines formes d'arthrites ; insuffisance biliaire, crises hépatiques, indigestion, mauvaise digestion des graisses ; problèmes oculaires, mauvaise vue ; raideur dans le cou et les épaules ; migraines ; surmenage.

• Associations psychologiques : prise de décision ; créativité et esprit d'initiative ; tempérament travailleur, tenace, responsable ; bonne humeur, colère, irritabilité.

• Déséquilibres psychologiques : indécision ; incapacité à concrétiser des projets ; manque de créativité ; tendance à travailler jusqu'à l'épuisement, à s'attacher au moindre détail, à endosser trop de responsabilités ; frustration, amertume, impatience, irritation constante.

Foie

- Fonctions : contrôle ; détoxication ; accumulation ; distribution ; souplesse des mouvements ; harmonisation des émotions ; organisation.
- Associations physiques : foie ; collecte et détoxication du sang ; catabolisme ; muscles, tendons, ligaments ; yeux.
- Déséquilibres physiques : hépatites, cirrhoses et toutes autres affections du foie ; flux menstruel excessif ou peu abondant ; problèmes liés à la détoxication, migraine, crise hépatiques, goutte ; fatigue, asténie ; douleurs et raideurs musculaires ou articulaires, problèmes aux tendons et aux ligaments, arthrites ; problèmes oculaires.
- Associations psychologiques : contrôle, organisation, prévoyance ; émotions harmonieuses ; bonne humeur, colère ; tempérament travailleur.
- Déséquilibres psychologiques : besoin de tout contrôler ou sentiment d'être dépassé par les événements ; surmenage ; tendance obsessionnelle à l'organisation ; manque de souplesse d'esprit ; difficulté à passer à l'action ; refoulement des émotions ; frustration ; répression ; mouvements de colère, violence verbale ; manque de détermination ou, au contraire, obstination.

En plus de ces douze méridiens bilatéraux, il existe deux méridiens centraux : le Vaisseau Gouverneur et le Vaisseau Conception.

Vaisseau Gouverneur

- Fonctions : influence tous les méridiens Yang du corps et peut contribuer à renforcer les forces Yang.
- Associations : la colonne vertébrale ; le cerveau ; les aspects Yang du méridien des Reins.
- Déséquilibres : courbatures ; troubles nerveux, tremblements, épilepsie ; manque de vitalité, problèmes

sexuels ; le travail sur le Vaisseau Gouverneur peut avoir pour effet de remonter le moral et d'éclaircir l'esprit.

Vaisseau Conception

• Fonctions : influence tous les méridiens Yin ; système reproducteur.

• Associations : l'abdomen, la poitrine, les poumons, la gorge et le visage ; fécondité, accouchement, ménopause.

• Déséquilibres : problèmes reproducteurs, fibromes, excroissance, hernie, sensations de froid, faiblesse, manque de volonté.

Dans ce qui précède, certains symptômes de déséquilibre parmi les plus courants, comme le mal de tête, le mal de dos et l'anxiété, n'ont pas été repris. C'est que ces symptômes peuvent être liés à n'importe quel méridien. Tout dépend de leur cause et de leur localisation. Ainsi, on considérera qu'un mal de tête aigu situé dans la moitié droite du crâne a probablement pour origine un déséquilibre du méridien de la Vésicule biliaire. Il se traite de manière tout à fait différente que, par exemple, une douleur sourde vaguement localisée dans la région du front, qui pourrait être causée par un déséquilibre du méridien de la Rate ou de l'Estomac. On peut en dire autant du mal de dos ou de l'anxiété : c'est la localisation précise du problème qui nous renseignera sur le méridien perturbé.

DIAGNOSTIC

Comment le praticien décide-t-il de concentrer la séance sur tel ou tel méridien ? Les fonctions et les associations des différents méridiens interprétés de manière purement symptomatiques peuvent nous permettre de décider de travailler sur un ou sur plusieurs méridiens, mais il demeure un risque que ceux-ci ne soient pas les plus appropriés dans ce cas précis, aussi bien à long terme qu'à court terme. C'est pourquoi nous nous fondons, dans la pratique, sur une combinaison de quatre méthodes de diagnostic pour mieux nous éclairer sur la constitution du patient (c'est-à-dire ses dispositions héréditaires et ses tendances à long terme), sur son état de santé (à court terme) et sur les déséquilibres que l'on observe dans la circulation du Ki. Pour déterminer ce dernier élément, le praticien recourt à la théorie qui lui paraît la mieux adaptée sur la dynamique du Ki. Dans le shiatsu, les théories interprétatives des signes diagnostics les plus répandues sont les cycles des Cinq Éléments, la méthode kyo-jitsu (du shiatsu zen) et les Huit Principes (qui servent en acupuncture traditionnelle chinoise).

Avant d'entrer dans les détails, revenons aux quatre formes de diagnostic mentionnées ci-dessus. Ce sont les suivantes :

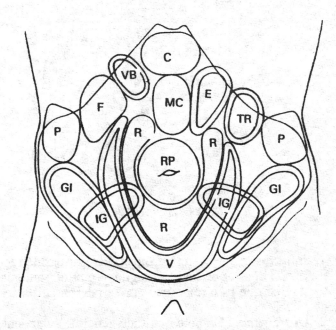

Ill. 4 Carte de diagnostic du hara

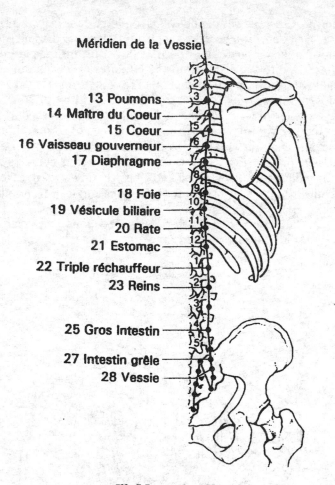

Méridien de la Vessie

13 Poumons
14 Maître du Coeur
15 Coeur
16 Vaisseau gouverneur
17 Diaphragme

18 Foie
19 Vésicule biliaire
20 Rate
21 Estomac
22 Triple réchauffeur
23 Reins

25 Gros Intestin

27 Intestin grêle
28 Vessie

Ill. 5 Les points Yu

1. *Entretien* : discussion et questions qui permettent d'établir un dossier où sont consignés l'état de santé du patient et ce que l'on remarque sur sa personnalité, ses goûts, etc.

2. *Observation* : On note l'attitude générale du patient, sa silhouette, les couleurs de ses vêtements, les traits de son

visage et la carnation. Il entre aussi dans l'observation une part d'intuition.

3. *Impressions auditives et olfactives* : On s'intéresse au ton de la voix du patient, selon qu'il est chantant, criard, monotone, larmoyant ou geignard (ce sont les classifications des Cinq Éléments). On remarque aussi son odeur personnelle, qui n'a évidemment rien à voir avec l'after-shave ou le déodorant. (Je préfère que mes patients évitent d'employer des produits trop parfumés avant de se présenter à la séance. Non seulement cela masque leur odeur personnelle, mais cela devient vite gênant pour les gens qui ont une grande sensibilité olfactive.)

4. *Toucher* : C'est l'instrument de diagnostic le plus important dans le shiatsu. Il y a certaines zones bien définies où le praticien peut percevoir avec beaucoup de netteté la qualité du Ki.

La méthode de diagnostic par le toucher la plus répandue dans la pratique du shiatsu est le *diagnostic du hara*, bien que certains praticiens choisissent de palper d'abord le dos ou le pouls pour établir un premier diagnostic. Le hara est un peu comme une carte dont les zones spécifiques nous renseignent à la palpation sur l'état du Ki le long du méridien associé à chaque région. Le hara est une partie du corps relativement protégée des contacts dans la vie quotidienne. C'est pourquoi il fournit une interprétation claire de l'état du Ki.

De la même façon, il existe une carte du dos avec des zones correspondant à chaque méridien. Il y a aussi, sur la face antérieure du corps et dans le dos des points bien précis connus sous le nom de points Bo et de points Yu qui se révèlent souples ou durs au toucher et correspondent chacun à un méridien donné (illustration 5).

Une autre méthode de diagnostic par le toucher consiste à prendre le pouls en palpant l'artère radiale. Cette fois encore, il existe une position pour chacun des méridiens et c'est la qualité des pulsations qui renseigne le praticien sur l'état du méridien en question. Enfin, il y a le contact des méridiens eux-mêmes et la façon dont le Ki se manifeste sur toute leur longueur.

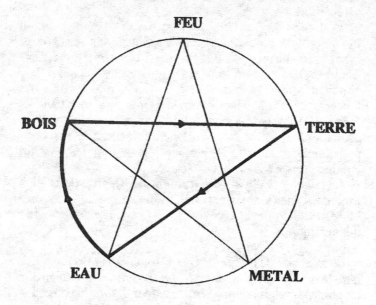

Ill. 6 Schéma de déséquilibre des éléments Eau, Bois et Terre

Le diagnostic obtenu par ces quatre méthodes peut ensuite être interprété selon la théorie de la circulation du Ki que le praticien choisira, car il est généralement à même d'appliquer plusieurs systèmes. Voici les principaux :

Les cycles des Cinq Éléments

Il s'agit du cycle Créatif et du cycle de Contrôle décrits précédemment dans ce chapitre. Si le Ki est bien équilibré, il parcourt librement les deux cycles. Si, au contraire, il est perturbé, des blocages et des faiblesses se manifestent selon des schémas qui suivent le cycle Créatif et le cycle de Contrôle.

Prenons un exemple simple. Une grande ambition et une forte volonté réunies chez une même personne (élément

Eau) ont tendance à s'aiguillonner réciproquement et à solliciter exagérément le système neurovégétatif, engendrant du stress et une incapacité à se détendre – c'est une prédominance typique de l'Eau. Cet excès se déplace alors le long du cycle Créatif vers l'élément Bois où il se manifeste par des maux de tête, de l'irritabilité, de l'hyperactivité, une tendance à boire trop d'alcool et une obsession constante de l'organisation. En empruntant le cycle de Contrôle, le Bois en excès vient contrarier l'élément Terre, entraînant des indigestions, des ulcères de l'estomac et un tonus en dents de scie tout au long de la journée – ce sont les symptômes d'une déficience d'énergie Terre. Ainsi, la Terre affaiblie ne parvient plus à réfréner l'Eau et le cercle vicieux recommence (cf. illustration 6).

N'est-ce pas là le portrait craché d'un homme d'affaires surmené ? Il s'agit, bien sûr, d'un schéma simplifié. En principe, tous les éléments devraient être concernés, puisqu'ils sont tous reliés. C'est un peu comme les rides qui troublent toute la surface d'un étang quand on y jette une pierre : une perturbation du Ki se répercute partout dans le corps et l'esprit.

La méthode kyo-jitsu

La théorie de Masunaga sur les zones kyo et jitsu interprète la distorsion énergétique qui se produit dans l'organisme par l'interaction dynamique du Yin et du Yang. La zone kyo est plutôt Yin. Elle semble creuse et molle au toucher ou, au contraire, raidie. Sa principale caractéristique est son insensibilité. La zone jitsu est d'une nature plus Yang. Elle a une consistance dure et pleine. Elle se caractérise par une grande sensibilité. Les éléments kyo et jitsu sont toujours unis par une relation énergétique de causalité dans laquelle le kyo entraîne le jitsu. Pour prendre un exemple classique, lorsque nous avons faim (sensation de manque, c'est-à-dire kyo), nous nous affairons pour mettre la main sur quelque chose à manger (activité, c'est-à-dire jitsu) afin de retrouver un équilibre confortable. Donc, en agissant sur le kyo – la cause ou le besoin –, nous rééquilibrons le jitsu. Ce système est d'une grande souplesse puisque n'importe quel méridien peut se trouver en relation énergétique de causalité avec un autre. Il est rare cependant de rencontrer une relation kyo-jitsu entre deux méridiens associés à un même élément, puisque leur qualité Ki est comparable et qu'ils peuvent difficilement présenter en même temps un excédent et une déficience d'énergie.

Pour illustrer la méthode kyo-jitsu, imaginons une femme qui s'est consacrée presque entièrement, pendant plusieurs années, à s'occuper d'un parent âgé qui vient de mourir. Elle s'est dépensée sans compter, puisant dans ses ressources de compassion et d'énergie affective dans des circonstances difficiles, au risque peut-être de négliger quelque peu ses enfants. Il s'ensuit une sorte de vide (kyo) sur le méridien du Cœur. À la mort de son parent, notre patiente se sent désemparée et incapable d'exprimer ses émotions. Ce n'est pas tout : après être restée si longtemps cloîtrée, elle n'a plus le goût de sortir et de rencontrer des gens. Et comme si cela ne suffisait pas, elle a développé une constipation chronique interrompue de temps à autre par des diarrhées explosives – autant de symptômes d'un Gros Intestin jitsu. Dans le cas qui nous occupe, la relation énergétique est donc : Cœur kyo, Gros Intestin jitsu. L'épuisement des ressources affectives du cœur se traduit chez la patiente par une incapacité à exprimer sa douleur et, par voie de conséquence, à faire le deuil de son parent. Le traitement consisterait à renforcer l'énergie du Cœur, ce qui aurait pour effet de relâcher le Gros Intestin et de résoudre les deux problèmes, physique et émotionnel.

Vous aurez remarqué le caractère plus psychologique de cet exemple. En effet, le shiatsu zen insiste beaucoup sur les causes psycho-affectives des déséquilibres et leur reconnaît une relation étroite avec les symptômes physiques.

Les Huit Principes

C'est une autre manière d'interpréter et de décrire les types de déséquilibre du Ki. Elle est largement utilisée dans la forme d'acupuncture qui se réclame de la médecine chinoise traditionnelle. Certains praticiens de shiatsu, qui sont également acupuncteurs, se servent de ce modèle théorique, bien qu'il convienne peut-être mieux à la technique de l'acupuncture, avec son action sur des points précis, qu'au shiatsu. Les Huit Principes sont : Yin/Yang, Intérieur/Extérieur, Vide/Plein, Froid/Chaud. Nous en avons assez vu sur la théorie pour comprendre que les six dernières catégories ne sont rien d'autre que des subdivisions du Yin et du Yang. Mais comme on l'a dit précédemment, la théorie *générale* du Yin et du Yang telle qu'elle s'applique à tous les phénomènes est parfois, en raison de sa simplicité même, difficile à appliquer dans le cadre complexe de la santé humaine. Les Huit Principes ont pour objet de segmenter le Yin et le Yang en composantes plus tangibles pour obtenir une description de *l'état* de l'énergie. Il est intéressant de remarquer que la théorie des Cinq Éléments nous fournit quant à elle plutôt une description du *mouvement* ou du *processus de transformation* de l'énergie.

Le couple Intérieur/Extérieur concerne la localisation du déséquilibre. Vide/Plein se rapporte à un Ki déficient (kyo) – accompagné de symptômes chroniques, de faiblesse, de fatigue, d'inactivité et une douleur qui disparaît sous la pression – ou en excès (jitsu) – avec des phases aiguës de nervosité, de difficultés respiratoires et de sensations douloureuses sous la pression. Froid/Chaud renvoie à la nature des symptômes selon qu'ils se caractérisent par une sensation de froid, un visage blême ou, au contraire, des bouffées de chaleur, de la fièvre, un teint rouge, une forte sensation de soif et de la constipation. Le couple Yin/Yang concerne l'équilibre général du Yin et Yang et les tendances spécifiques en cas de perturbation. Par exemple, les tendances Yin englobent de la faiblesse et de la fatigue, une sensation de froid, le besoin de rester au chaud, le manque d'appétit et le désir d'être touché ou pris en charge. Les symptômes Yang sont l'activité, la nervosité, l'impression de chaleur, la soif et la sensation douloureuse sous le toucher.

Chacun de ces systèmes théoriques permet au praticien de shiatsu de déterminer où le Ki est perturbé afin de découvrir comment traiter le déséquilibre. Il ne faut pas perdre de vue que ces systèmes ne sont que des théories, c'est-à-dire des descriptions de la réalité. Le travail du praticien consiste à appliquer ces théories à la réalité sans vouloir à tout prix faire correspondre la réalité à une théorie.

APPLICATION PRATIQUE

Maintenant que nous sommes parvenus à un diagnostic, autrement dit à une description du déséquilibre du Ki, qu'allons-nous en faire ? C'est ici qu'il va nous falloir appliquer les techniques du shiatsu. Tout au long du traitement, en travaillant le corps avec nos mains, nous allons recevoir en retour une série d'informations tactiles. J'ai l'habitude d'encourager mes étudiants à faire preuve de créativité et d'imagination quand ils expriment ce qu'ils ressentent. Cela les aide à mieux se concentrer sur la sensation exacte. En lisant des ouvrages sur le shiatsu et d'autres formes de médecine orientale, on voit souvent revenir des termes plus neutres comme « excès » ou « déficience », qui sont un point de départ bien utile, mais risquent de limiter notre perception si nous nous y tenons avec trop de rigidité.

On peut dire à propos des zones kyo qu'elles sont essentiellement insensibles. Au toucher, elles apparaissent molles avec une consistance gélatineuse où le doigt s'enfonce sans rencontrer de résistance, ou encore raides et sans souplesse comme du bois. En termes de quantité, on a l'impression qu'il n'y a « pas assez » de Ki. C'est pourquoi on traite le kyo par un apport d'énergie sur le tsubo qui semble particulièrement en manquer et dans le méridien en général. Cette technique, appelée « tonification », consiste en une pression graduelle lente et soutenue, assez peu appuyée, mais suffisamment cependant pour entrer en contact avec le Ki. Le praticien peut soit maintenir passivement sa pression de façon à diriger le Ki du receveur vers le point concerné ou encore étendre son propre Ki vers le tsubo en se servant des techniques respiratoires et en puisant son énergie dans le hara. Pour le receveur, la sensation du Ki emplissant un tsubo kyo est perçue comme une « douleur agréable », une pression réconfortante et bénéfique.

Les zones jitsu sont généralement décrites comme dures ou sensibles, mais on pourrait dire aussi de façon plus imagée qu'elles paraissent élastiques, résistantes, tenaces et stagnantes. D'un point de vue quantitatif, le Ki jitsu est trop abondant et il nous faut l'acheminer ailleurs par « sédation ». Dans le langage courant, quand on donne un sédatif à quelqu'un, c'est d'ordinaire pour l'endormir. Ce n'est évidemment pas de cela qu'il s'agit. Une image plus pertinente serait celle d'un enfant turbulent que l'on s'efforce de calmer pour le ramener à un niveau d'activité normal. Les techniques de sédation sont des pressions rapides, fortes et profondes qui peuvent s'avérer douloureuses lorsqu'elles sont appliquées dans une zone où le Ki stagne depuis longtemps.

La sensibilité du toucher se développe avec la pratique. Je suis convaincue que nous avons tous la faculté de trouver intuitivement le contact approprié, mais c'est un don qui peut toujours être affiné et amplifié. Pour aiguiser la sensibilité et l'intuition, le shiatsu se sert du hara et de la respiration.

Le Hara

Le hara, c'est-à-dire l'abdomen, a une grande importance dans la culture japonaise et dans la conception orientale de l'être. Nous autres Occidentaux avons tendance à considérer notre corps comme une simple annexe de notre personnalité dont nous situons le siège dans notre esprit ou notre cerveau. Le point de vue oriental place le centre de notre être dans le hara. Notre énergie vitale, nos facultés et notre intuition résident dans cette zone essentielle. Ce centre d'énergie n'est pas ignoré en Occident, comme en témoigne notre expression « avoir quelque chose dans le ventre », mais la conception japonaise est beaucoup plus vaste. On sait que les adeptes des arts martiaux sont capables de prouesses étonnantes, comme de briser d'épaisses planches de bois ou encore de jeter au sol un adversaire bien plus imposant qu'eux. Ils y parviennent en puisant dans cette source de force qu'est le hara. À côté de ces résultats spectaculaires, les facultés du hara interviennent aussi dans d'autres formes d'art japonais : c'est lui qui guide la main dans cet art de la composition florale qu'est l'*ikebana* ou qui dirige le pinceau en calligraphie. Le travail sur le hara englobe une idée de recherche de la perfection ou même de l'illumination par le biais d'une discipline rigoureuse. Toute forme de compétition en est absente, car c'est une voie intérieure, un parcours spirituel. Il existe différentes manière de développer notre contact avec le hara : la méditation, l'exercice, les arts martiaux et bien sûr le shiatsu. La force et la sensibilité du hara permettent au praticien de shiatsu de dépasser la simple technique pour atteindre un art de guérir dans le sens le plus noble du terme. En nous concentrant sur notre hara, nous affinons notre intuition et la sensibilité de nos mains au point de développer une empathie avec le receveur qui nous permet d'éprouver en même temps que lui ce qu'il ressent tout en gardant assez de distance pour ne pas donner prise à ses problèmes et à ses symptômes.

Vous trouverez au chapitre 6 quelques exercices simples qui vous aideront à entrer en contact avec votre hara.

La respiration

La respiration est un autre moyen de rendre le shiatsu plus efficace. C'est en fait l'un des outils les plus puissants dont nous disposons. Lorsque nous respirons profondément, nous nous rechargeons en énergie et nous acceptons pleinement la vie. Si, au contraire, nous respirons faiblement, nous manquons de vitalité. C'est presque comme si nous refusions notre propre existence. L'inspiration nous emplit d'un Ki nouveau et pur qui revitalise notre organisme tout entier. L'expiration correspond au souffle puissant et relaxant qui nous permet de nous ouvrir à la vie. Chacun sait que l'on soupire pour exprimer son soulagement ou parfois d'autres sentiments, mais on connaît souvent moins la puissance et l'énergie qui accompagnent l'expiration. La prochaine fois que vous vous échinerez à ouvrir le couvercle récalcitrant d'un pot de confiture, essayez de le faire en poussant une expiration et vous serez surpris du résultat. Dans la pratique du shiatsu, le donneur a souvent soin de régler sa respiration sur celle du receveur et d'attendre le moment de l'expiration pour exercer sa pression. Cela lui permet de mieux visualiser le flux du Ki passant par ses mains et le receveur peut plus facilement se relaxer et se libérer de toute tension. En coordonnant ainsi leur souffle, tous deux se sentent plus proches l'un de l'autre, et cette empathie favorise le processus de guérison.

LES POINTS PROPREMENT DITS : LES TSUBOS

Les tsubos, c'est-à-dire les points de l'acupuncture classique, sont des endroits sur les méridiens où le Ki s'accumule, comme des lacs qui se forment le long d'un cours d'eau. Ce sont des points où il est plus facile d'entrer en contact avec le Ki et de le manipuler. Les tsubos sont numérotés en fonction de leur position sur les méridiens : R1, par exemple, est le premier tsubo sur le méridien des Reins. La recherche scientifique moderne a montré que ces points d'acupuncture classiques sont souvent à des endroits où le corps est plus faible : les articulations, les dépressions entre les muscles, les zones où les nerfs sont proches de la surface. La résistance électrique de la peau est également plus faible sur ces points, ce qui est bien la preuve que « quelque chose » s'y passe, même si la médecine occidentale n'a pas encore réussi à définir ce dont il s'agissait. Le tsubo se présente comme un vase rempli d'énergie avec un goulot étroit et une large panse. Pour entrer en contact avec le Ki à l'intérieur, il faut exercer une pression perpendiculaire. Chaque tsubo a des propriétés ou des effets spécifiques qui permettent, par exemple, d'atténuer la douleur, d'acheminer le Ki dans une direction donnée, d'apaiser l'esprit, de réchauffer ou de rafraîchir le corps ou d'équilibrer les éléments. Cette théorie sur l'action des points est bien entendu largement utilisée en acupuncture, mais si elle rend des services dans la pratique du shiatsu, on a tendance à travailler davantage sur toute la longueur du méridien en se fiant à l'intuition et à la sensibilité pour repérer les perturbations du Ki et les traiter en conséquence.

Il y a encore des points qui peuvent devenir spontanément douloureux. On les appelle les points *Ahshi* – et on pourrait traduire par points « aïe ! », car c'est bien souvent ce que disent les patients quand on presse dessus. En termes médicaux, on pourrait parler de *points réflexogènes* (nous y reviendrons plus tard). Au cours d'une séance de shiatsu, il arrive normalement que l'on travaille sur quelques points Ahshi autour des zones sensibles, tout comme on manipule aussi les tsubos sur les méridiens. On trouvera dans le chapitre 6 certains tsubos dont les propriétés thérapeutiques peuvent être de quelque utilité à titre de premier secours.

LA PHYSIOLOGIE DU SHIATSU

Jusqu'à présent, nous avons envisagé l'action du shiatsu dans sa conception purement orientale, mais il se peut que notre esprit analytique et logique, en dignes Occidentaux que nous sommes, ait encore besoin d'une quelconque explication scientifique pour se rassurer. La plupart des recherches scientifiques qui ont été menées sur les effets de l'acupuncture, du massage et de la méditation peuvent être appliquées au *modus operandi* du shiatsu. Sans nous lancer en détail dans des explications physiologiques, voici quelques arguments de base que l'on peut avancer à l'appui de l'efficacité du shiatsu.

Les travaux de Katsusuke Serizawa ont établi que les organes internes sont reliés à la peau, aux tissus sous-cutanés et aux muscles par le système nerveux. Ainsi, grâce à l'action réflexe des nerfs, on peut percevoir sur la surface du corps des perturbations dans le fonctionnement des organes internes. Ces recherches ont démontré que l'inverse était vrai également : en stimulant, près de la colonne vertébrale, un tsubo correspondant à un nerf spinal particulier, on provoque une action réflexe qui renforce l'activité de l'organe innervé.

C'est encore le système nerveux qui permet d'expliquer le rôle de la pression dans le soulagement de la douleur. Très souvent, la douleur est suscitée par une tension chronique et inadéquate des muscles. Disons sans entrer dans le détail qu'il existe des « stations de contrôle » qui envoient au système nerveux central des informations sur la longueur des fibres musculaires et sur la charge qu'elles supportent. Parfois, à cause d'une attitude habituelle, d'une mauvaise posture ou d'une tension émotionnelle, ces stations continuent à envoyer l'instruction de soutenir l'effort musculaire alors que celui-ci n'a plus de raison d'être. Prenons l'exemple tout simple d'une femme qui porte toujours son sac en bandoulière sur la même épaule. On remarque en l'observant qu'une de ses épaules est plus haute que l'autre, parce que ses muscles ont tellement pris l'habitude de cette tension constante pour supporter le poids du sac qu'elle « oublie » de les relâcher alors même qu'elle a déposé son sac.

Une pression sur les points sensibles (que l'on appelle *points réflexogènes*) des muscles de l'épaule produit un double effet. D'abord elle dilate les capillaires, favorise la circulation du sang et de la lymphe dans les muscles et contribue ainsi à éliminer les toxines qui sont parfois à l'origine de la douleur (comme l'acide lactique, responsable des crampes). Ensuite, la pression inhibe les messages des *corpuscules de Golgi* (qui mesurent la tension ou la charge supportée par les fibres musculaires) au système nerveux central. Une fois ces messages court-circuités, le système nerveux ne reçoit plus d'informations qui lui disent de continuer à contracter le muscle, et aussitôt celui-ci se relâche. Tout ce processus n'est évidemment pas conscient. Les zones réflexogènes sont des points ou des régions d'une extrême sensibilité où la pression suscite une sensation de douleur qui irradie vers d'autres endroits du corps. D'importantes recherches ont été menées pour mieux comprendre le mécanisme des points réflexogènes et l'on s'est aperçu que ceux-ci coïncident largement avec la position des tsubos traditionnels.

La sécrétion d'*endorphine*, un antalgique naturel produit par le corps, intervient également dans la façon dont le shiatsu soulage la douleur. Ici encore, des travaux ont été effectués pour étudier les relations entre acupuncture et production d'endorphine et, de ce point de vue, les pressions se sont révélées aussi efficaces, sinon plus, que les aiguilles.

Enfin, à propos de l'effet calmant et relaxant du shiatsu, il faut mentionner le rôle du *système neurovégétatif*. Le système neurovégétatif concerne le fonctionnement des muscles lisses et du muscle cardiaque. Autrement dit, il assure les fonctions nerveuses qui ne sont pas normalement sous notre contrôle conscient comme les battements du cœur, les contractions péristaltiques qui acheminent les aliments le long de l'appareil digestif. Les deux branches du système neurovégétatif gouvernent nos réactions à notre environnement. Le système sympathique régit « l'instinct de conservation » qui, en situation de stress, inhibe les fonctions digestives et reproductrices. Le système parasympathique compense les effets du système sympathique et engendre une relaxation générale. Le contact agréable et réconfortant du shiatsu stimule la branche parasympathique du système neurovégétatif pour faire naître un état de calme et de tranquillité.

Quand on parle de bien-être, il ne faut pas négliger l'importance des sensations agréables. La stimulation sensorielle est essentielle au bien-être de l'homme : les bébés peuvent mourir de l'absence du contact physique ; des personnes âgées peuvent se sentir coupées du monde, coupées d'elles-mêmes et mourir lentement d'un manque de contacts humains. À cet égard, il est intéressant de remarquer que les voies nerveuses qui dirigent vers le cerveau les sensations du toucher sont plus nombreuses que celles qui lui envoient les sensations de douleur. Ainsi, en créant des sensations tactiles agréables, on peut détourner l'attention du cerveau d'une région douloureuse et donc atténuer la souffrance. Peut-être pourrions-nous même élargir cette constatation et dire qu'un contact affectueux et compatissant contribue à soulager la peine ou la douleur quelle qu'en soit l'origine et à ramener le bien-être au premier plan des sensations d'une personne.

4

Que peut vous apporter le shiatsu ?

Après avoir expliqué les fondements théoriques du shiatsu, nous pouvons à présent nous intéresser à ses applications pratiques au travers de quelques exemples réels. Comme je l'ai signalé dans le chapitre 1, le shiatsu peut servir à traiter un grand nombre de problèmes. Parfois le shiatsu seul permet de rendre son équilibre à une personne et de faire disparaître les symptômes. D'autres fois, il faut compléter les séances de shiatsu par des « travaux à domicile » comme des exercices et un changement de régime, d'habitudes ou d'attitude. Il y a aussi des cas où le shiatsu s'avère inefficace et où il convient d'orienter le patient vers une autre forme de traitement.

À l'instar de bien des thérapeutes, les praticiens du shiatsu se considèrent un peu comme des éducateurs qui jouent un rôle de catalyseur pour aider les patients à trouver la guérison en eux-mêmes. Votre santé, c'est votre affaire et vous n'avez rien à gagner à vous décharger de cette responsabilité sur votre thérapeute, votre médecin ou n'importe qui d'autre. Quelle que soit la discipline qu'il exerce, un bon thérapeute doit vous amener à comprendre votre état ; la suite dépend de vous. Une séance de shiatsu dure entre quarante-cinq minutes et une heure. Ce n'est pas cela qui va déterminer votre santé, mais bien la façon dont vous employez le reste de votre temps. Si je vous dis que l'énergie de votre méridien des Reins est affaiblie par les dix tasses de café fort que vous buvez par jour, et si malgré cela vous continuez à en boire autant, ce ne sont pas mes séances de shiatsu qui pourront résoudre le problème. L'idéal serait bien sûr d'avoir une conception holistique de l'existence, qui engloberait de saines habitudes alimentaires, un juste équilibre entre les activités et les heures de détente, des relations sociales enrichissantes et la tranquille assurance que la vie à un sens. Tout le monde, hélas, n'atteint pas cette sérénité. Pourtant, si nous comprenons ce dont nous avons réellement besoin, nous pouvons au moins partir à sa recherche.

Il y a deux raisons pour lesquelles on consulte un praticien : a) pour traiter un problème de santé ; b) pour prévenir un déséquilibre futur. Très souvent, les patients de la seconde catégorie sont d'abord passés par la première. Autrement dit, les gens commencent par se faire soigner pour un ennui de santé bien précis et, quand ils sont guéris, ils prennent conscience de l'intérêt d'un traitement préventif pour éviter que leur problème se présente à nouveau. Pour un thérapeute, le travail avec ces personnes qui ont compris leur responsabilité à l'endroit de leur propre santé ouvre de grandes perspectives d'évolution et de progrès.

J'ai choisi les quelques cas dont je vais parler parmi les patients que j'ai traités récemment. Ils ne représentent pas tous les problèmes qui peuvent être soulagés grâce au shiatsu, mais ils donnent une idée du genre de perturbations pour lesquelles le shiatsu se révèle une forme de traitement très appropriée. Ils illustrent en outre divers aspects de la théorie développée dans le chapitre précédent. Tous les exemples sont authentiques, mais les initiales des noms et certains détails personnels ont été changés pour respecter l'anonymat des patients.

MAUX DE TÊTE LIÉS AU STRESS

Madame E. a commencé les séances de shiatsu deux mois avant Noël, c'est-à-dire au moment où son travail l'accapare le plus puisqu'elle tient un magasin de jouets. Elle se plaignait principalement du stress lié à ses activités professionnelles, qui se manifestait par des maux de tête et des douleurs dans l'épaule gauche. Par ailleurs, elle subissait également les premiers symptômes de la ménopause et passait de temps à autre par des moments d'abattement depuis qu'elle avait traversé une grave dépression nerveuse quelques années auparavant. Mon traitement allait avoir pour objectif, sur le plan physique, de soulager ses maux de tête en travaillant sur le cou et les épaules et, sur le plan psycho-affectif, de l'aider à surmonter ses problèmes.

En termes d'équilibre général du Yin et du Yang, elle avait tendance à osciller entre une activité frénétique (Yang) et des jours de dépression complète où elle gardait le lit sans rien faire (Yin). Au point de vue physique, elle avait une constitution tout à fait Yang, avec une carrure robuste et des os épais. Pourtant son état actuel était plutôt Yin et caractérisé par un flux de Ki insuffisant pour assurer le bon fonctionnement des organes internes, ce qui se traduisait par des blocages du Ki dans le haut du corps (qui est en effet plus Yang – reportez-vous au tableau des aspects Yin et Yang du corps humain en page 45 – et attire donc le Ki Yang). On avait l'impression d'un déséquilibre en la regardant : raide et Yang à hauteur des épaules et de la poitrine, faible et Yin au niveau de l'abdomen et des jambes. D'ailleurs, elle se croyait incapable de faire de l'exercice physique car elle manquait d'énergie dans les jambes. Il y avait encore de la faiblesse dans l'appareil reproducteur et dans les organes digestifs inférieurs.

Parmi les Cinq Éléments, les principaux facteurs affectant l'état de madame E. se rapportaient au Feu, à la Terre et au Métal. Le Feu (Cœur/Intestin grêle ; Maître du Cœur/Triple Réchauffeur) se révélait dans les fluctuations de son état émotionnel, dans ses bouffées de chaleur, ses insomnies et ses sueurs nocturnes. L'insomnie est attribuée à une perturbation du Shen et est associée au méridien du Cœur. Madame E. avait également un petit problème cardiaque, mais il me semblait que l'élément important ici était plutôt l'aspect émotionnel du Feu et que l'énergie du Cœur réclamait une attention toute particulière. Le méridien du Cœur régit notre vie affective et nos interactions avec le monde qui nous entoure. Madame E. se présentait souvent très agitée à la séance et en repartait calme et apaisée. C'était dû en partie à l'effet relaxant du traitement, mais il y avait là aussi un indice d'un élément Feu perturbé qui s'embrase et s'éteint en fonction de l'environnement. L'un des premiers objectifs était donc de stabiliser le Feu chez madame E. pour qu'elle soit en mesure de réagir de manière plus appropriée, c'est-à-dire sans s'enflammer ou se démoraliser, aux situations certainement stressantes auxquelles elle était confrontée dans son travail.

La Terre (Estomac/Rate) se manifestait à travers son embonpoint, ses problèmes de digestion et d'éructations inopinées et son penchant compensateur pour le chocolat et les sucreries, bien qu'elle sût que ce genre d'aliments riches en glucides n'était pas bon pour elle. Elle exprimait aussi son sentiment de n'avoir pas « les pieds sur terre », ce qui est caractéristique d'une faiblesse de l'énergie Terre, combinée avec un Feu instable : le Feu n'apporte pas une énergie régulière à la Terre sur le cycle Créatif. Nous avons longuement discuté de la fonction nourricière de la Terre et des aliments qui lui conviendraient le mieux. Nous avons mis au point un régime de plats simples et vite préparés, car l'une des raisons pour lesquelles elle avait tendance à manger n'importe quoi au cours de cette brève période d'intense stress professionnel était qu'elle n'avait ni le temps ni le goût de cuisiner.

Il me semblait que les problèmes digestifs de madame E. étaient en grande partie dus au fait qu'elle ne mastiquait pas suffisamment ses aliments (encore le facteur temps !), et je lui ai recommandé de mâcher dix fois chaque bouchée avant de l'avaler pour activer les enzymes responsables de la décomposition des sucres. Elle avait lu quelque part qu'il faudrait en principe mâcher cinquante fois chaque bouchée avant de l'avaler, mais n'en avait tenu aucun compte car cela lui paraissait totalement impossible. Je me suis dit qu'en lui fixant un objectif plus accessible, elle serait mieux disposée à essayer et qu'elle avait toutes les chances de mastiquer désormais un peu plus longtemps puisqu'au moins elle y songerait. La perturbation de son cycle menstruel, qui s'inscrivait dans le processus naturel de la ménopause, relevait également de l'élément Terre puisque celui-ci gouverne la fertilité et les phénomènes cycliques de l'organisme. Toutefois, cela ne m'apparaissait pas comme un déséquilibre mais, simplement, comme un effet naturel de l'âge et ce ne devait donc pas être un élément déterminant dans le traitement.

Les associations avec l'élément Métal (Poumons/Gros Intestin) étaient les ballonnements et la constipation, une production excessive de mucus qui se traduisait par des catarrhes et des sinus congestionnés ainsi qu'un tempérament dépressif et quelque peu mélancolique. Plusieurs fois au cours du traitement, elle a parlé de son « incapacité à se laisser aller » tant sur le plan physique (constipation et difficultés à se relaxer) que du point de vue affectif (son incapacité à chasser de son esprit de vieilles pensées, des sensations ou même des conversations entières). Ce sont les signes sans équivoque d'un Gros Intestin jitsu : le corps et l'esprit ne parviennent pas à éliminer.

Madame E. a suivi le traitement à raison d'une séance hebdomadaire qui, d'après ce qu'elle disait, l'aidait à « tenir le coup » pendant cette période de stress. Elle m'assurait qu'après Noël ce serait tout différent et qu'elle irait très bien. Les premières séances ont mis en lumière un syndrome de Rate kyo (aspect Yin de la Terre déficient) et de Vésicule biliaire jitsu (aspect Yang du Bois en excès). Je l'ai attribué à des causes essentiellement psychologiques, puisque madame E. avait alors à fournir un gros travail d'organisation et de gestion des stocks, exigeant constamment de prendre des décisions (élément Bois). Toutes ces sollicitations avaient affaibli l'aspect mental de la Terre tournée davantage vers les idées et l'abstraction. C'est là un exemple du bois contrôlant la Terre.

Comme je constatais qu'en plus de ses raideurs dans le cou, de ses douleurs à l'épaule et de ses maux de tête, madame E. était aussi très perturbée, j'ai consacré beaucoup de temps lors des premières séances à travailler sur le méridien de la Vésicule biliaire à hauteur du cou et des épaules avec des pressions assez fortes et des étirements musculaires du trapèze. Je compensais ces manipulations par des pressions lentes et soutenues sur des points du méridien de la Rate dans les jambes, et particulièrement sous la cheville pour essayer de lui « remettre les pieds sur terre ». À la fin de la deuxième séance, je lui ai appris la respiration du hara, un exercice simple qui permet de recentrer son énergie dans les situations de stress et de tension affective. Les séances suivantes révélèrent de manière persistance un syndrome Cœur kyo, Gros Intestin jitsu qui, à nouveau, paraissait refléter davantage le Ki psychologique que le Ki physique de madame E. Le méridien du Cœur était épuisé par l'alternance de hauts et de bas dans ses réactions au stress et aux soucis professionnels. Le Gros Intestin jitsu représentait son incapacité à se débarrasser de ses vieux automatismes affectifs ainsi que son sentiment qu'elle *ne pouvait pas* réagir autrement au stress de cette période de l'année. En outre, elle était encore constipée malgré mes recommandations d'ordre diététique qu'elle avait acceptées dans l'ensemble sans pour autant les suivre toujours.

À ce stade du traitement, les séances commençaient d'habitude par une pression soutenue de la paume sur la poitrine pour stabiliser et renforcer le Ki du Cœur, suivie d'un travail sur les méridiens du Cœur et du Gros Intestin tant sur le bras que sur la jambe (le système de méridiens supplémentaires de Masunaga inclut un embranchement des méridiens du Cœur et du Gros Intestin dans la jambe). Une partie de la séance était toujours consacrée à la relaxation des épaules puisqu'il y avait au niveau du trapèze et du sterno-cléido-mastoïdien des points réflexogènes qui jouaient un rôle dans ses maux de tête. Ces points coïncidaient avec des tsubos du méridien du Gros Intestin. Dans le dos, les points Yu associés au Cœur, au Maître du Cœur et au Triple Réchauffeur étaient souvent douloureux, et je m'employais lors de chaque séance à détendre le dos.

Au cours du traitement, madame E. a fait de gros progrès et a témoigné une réelle volonté de préserver autant que possible son équilibre compte tenu des circonstances. Les douleurs dans les épaules s'estompèrent et s'il lui arrivait de se présenter à la séance avec un mal de tête, elle repartait généralement soulagée. Le blocage au niveau du Gros Intestin persistait, mais l'énergie du Cœur se renforçait, et madame E. me confiait qu'elle se sentait à présent plus apte à réagir et que son moral se maintenait plus longtemps au lieu d'osciller constamment entre la joie et le découragement. Nous sommes tombées d'accord toutes les deux pour considérer son traitement comme une « opération de soutien » pour l'aider à traverser une période professionnellement difficile dans l'année. Et je n'ai eu qu'à me féliciter de son attitude responsable et de sa volonté de se venir en aide à elle-même plutôt que de s'en remettre entièrement à moi.

DOULEURS À L'ÉPAULE

Le cas de monsieur J. est tout à fait différent car, cette fois, le problème et le traitement se situaient sur un plan entièrement physique et symptomatique. Il est venu me trouver pour de fortes douleurs dont il souffrait depuis plusieurs mois à l'épaule gauche. Son médecin lui avait fait une radiographie qui avait révélé un amincissement du tissu osseux et un peu d'arthrite à l'extrémité de la clavicule et de l'omoplate, là où s'insère le muscle deltoïde. Monsieur J. décrivait sa douleur comme un mal de dents, une souffrance plus osseuse que musculaire et plus ou moins constante même si elle s'aggravait après l'effort. Le médecin avait prescrit des antalgiques et du calcium pour freiner la détérioration du tissu osseux, mais aucune autre forme de traitement. L'entretien avec monsieur J. ne fit pas apparaître grand-chose. D'une manière générale, il était d'une nature plutôt Yin : un homme tranquille, pas très actif, avec une ossature délicate. Dans l'ensemble, il était en bonne santé, s'alimentait sainement et jetait sur l'existence un regard positif quoique sans ambition. Bref, n'était ce problème à l'épaule, c'était un homme parfaitement équilibré. Du point des correspondances théoriques, il n'y avait rien de particulièrement remarquable si ce n'est que le diagnostic du hara révélait souvent un méridien des Reins kyo, qui reflétait simplement son manque d'ambition dans sa vie professionnelle. Sa situation familiale paraissait paisible et heureuse.

J'ai concentré mon traitement sur les deux épaules au-dessus du trapèze, où l'on sentait une certaine raideur, et sur le cou. J'ai travaillé aussi sur le méridien supplémentaire du Rein dans le bras, ainsi que sur le méridien traditionnel dans la jambe. Mon objectif était d'équilibrer l'ensemble du Ki et de drainer hors des épaules l'excès d'énergie par des manipulations sur les pieds. Mais l'essentiel du traitement consistait à travailler directement sur la région douloureuse, car j'avais constaté immédiatement un tonus musculaire excessif dans les fibres du deltoïde. Des frictions sur le muscle et des pressions sur les tsubos GI15 et TR14 (dans les creux situés au sommet du deltoïde) s'avéraient efficaces mais assez douloureuses. Toute cette zone me semblait avoir besoin d'être relaxée, car on y remarquait un important blocage du Ki. En interrogeant monsieur J., j'ai découvert que son travail l'obligeait à transporter régulièrement un objet lourd, ce qu'il faisait invariablement avec le bras gauche plié et écarté du corps, autrement dit en se servant du deltoïde. Il souffrait donc d'une tension chronique des fibres musculaires qui ne parvenaient pas à se relâcher quand elles n'étaient plus sollicitées. Pour court-circuiter les impulsions nerveuses qui maintenaient la contraction musculaire, j'ai recouru aux frictions et aux pressions décrites précédemment. Je voulais aussi stimuler la circulation dans cette région du corps et j'ai donc appliqué un moxa indirect (voir chapitre 6) sur les points GI15 et TR14 pour réchauffer la zone, activer le Ki bloqué et rendre l'articulation de l'épaule plus mobile. Une semaine après le premier traitement, monsieur J. m'a déclaré qu'il n'y avait eu qu'une journée où son épaule avait été douloureuse. Au bout de quatre séances, il ne subsistait plus que de vagues élancements occasionnels, et monsieur J. décida que l'on pouvait interrompre le traitement et qu'il reviendrait me consulter en cas de rechute. Nous avons discuté de la cause du problème et il a changé depuis ses habitudes de travail de manière à éviter la posture qui était à l'origine de ses douleurs. Un cas tout simple de problème physique localisé, avec une solution physique simple.

SYNDROME PRÉMENSTRUEL
ET DOULEUR DANS LE BAS DU DOS

Mais tous les cas ne sont pas aussi évidents. Quand madame H. m'a consultée pour la première fois c'était pour soulager de violents symptômes prémenstruels accompagnés de migraines. Au bout de quelques mois, ceux-ci purent être contrôlés, mais entre-temps elle développa à deux reprises des douleurs aiguës dans le bas du dos. Elle avait par ailleurs certains problèmes de couple liés à son désir de monter sa propre affaire.

Les symptômes initiaux étaient un cycle menstruel court avec un écoulement de sang brun sombre mais sans douleur – autant d'indices d'une tendance kyo des méridiens de la Rate et des Reins. De son point de vue, le problème résidait moins dans les règles elles-mêmes que dans la semaine qui les précédait au cours de laquelle elle souffrait régulièrement de dépression aiguë et de la tentation de tout abandonner, de quitter son mari, sa famille et son travail. À cela s'ajoutaient de violents maux de tête circonscrits à une moitié du crâne et des ennuis de digestion, deux signes classiques de la migraine.

Lors des premières séances, j'ai concentré mon attention sur les méridiens de la Rate et du Foie. Celui de la Rate parce qu'il régit le cycle menstruel et qu'il comporte plusieurs points très efficaces pour soulager les problèmes liés aux règles (notamment RP6, RP9 et RP10, voir en page 109 la localisation exacte de ces points). En outre, madame H. avait parlé de ses fringales de sucreries avant ses règles, penchant très courant chez de nombreuses femmes puisque le goût sucré est associé à l'élément Terre. Un blocage énergétique (jitsu) au niveau du Foie est souvent à l'origine de symptômes de migraine ; c'est pourquoi nous avons travaillé sur la partie inférieure du méridien du Foie et particulièrement le point F3, pour faire descendre de la tête l'excédent d'énergie. Ce méridien est aussi associé à des troubles digestifs et, en nous intéressant à ses habitudes alimentaires, nous nous sommes aperçues qu'elle était portée non seulement sur les sucreries mais aussi sur les graisses.

J'ai continué à l'interroger et j'ai découvert que, lorsqu'elle restait plusieurs heures sans manger ou boire, il lui arrivait d'éprouver soudain le besoin impérieux de prendre une tasse de thé très sucré avec des biscuits. L'hypoglycémie, qui se produit quand l'organisme ne gère pas très bien le taux de sucre dans le sang, entraîne souvent des étourdissements, de l'irritabilité et des maux de tête. C'est un trouble traditionnellement associé aux méridiens de la Rate et du Foie. En modifiant le régime de madame H. et l'espacement de ses repas, nous avons réussi à réduire la fréquence des migraines. Le calendrier de ses séances de traitement avait été établi de façon à coïncider avec les périodes prémenstruelles. Cela l'aidait à se détendre et à exprimer certaines des frustrations qu'elle rencontrait dans son ménage et qui contribuaient elles aussi à bloquer le méridien du Foie.

Le traitement durait depuis plusieurs mois quand madame H. est arrivée un jour avec un terrible mal de dos. Elle faisait un peu d'exercice et, à la suite d'un effort trop violent, les muscles profonds de son dos avaient été pris de spasmes. Elle se tenait prudemment courbée d'un côté et craignait de s'être déboîté le dos. Après l'avoir examinée, j'ai pu lui assurer que tous ses os étaient en place, mais que, d'un côté de la colonne vertébrale, ses muscles profonds s'étaient bloqués en réaction à une extension inaccoutumée. Les muscles ont commencé à se détendre quand j'ai appuyé de la paume sur toute la région lombaire et exercé doucement des pressions du pouce à l'endroit douloureux. J'ai utilisé une technique particulière de manipulation ascendante et descente le long des apophyses latérales de la colonne (les protubérances osseuses où se fixent les muscles profonds) pour détendre les muscles, puis j'ai fait coucher madame H. sur le dos et j'ai ramené doucement ses genoux contre sa poitrine. Toutes ces manœuvres se sont avérées efficaces ;

elle a pu repartir soulagée en se tenant droite, même si la douleur persistait encore un peu. Les séances suivantes ont permis de la faire entièrement disparaître.

Le diagnostic énergétique de son mal de dos révéla un méridien des Reins kyo et un Gros Intestin jitsu – une combinaison de faiblesse et de froideur dans le haut de la région lombaire et une forte tension dans le bas et les fesses. Le deuxième accès de mal de dos, plusieurs mois plus tard, se présentait de la même manière, mais cette fois madame H. se confia à moi. Elle m'expliqua qu'elle ne se sentait pas soutenue par ses proches et qu'elle avait déjà connu le même genre d'angoisse et les mêmes souffrances dans le dos quand elle était enceinte. Grâce à un travail non plus seulement sur le dos, mais aussi sur les centres émotionnels, elle a pu exprimer une grande partie des sentiments qu'elle gardait pour elle depuis des années (l'indication d'un blocage au niveau du Gros Intestin) et elle a fini par se sentir assez forte pour en parler avec son mari. Depuis cette séance, son dos a été beaucoup mieux. Comme elle disait, cela a « changé pas mal de choses ». Le traitement se poursuit. Il consiste surtout pour moi à aider madame H. à prendre conscience de ses angoisses (Reins kyo) et à lui prêter une oreille attentive. Comme il me semblait qu'elle avait surtout besoin de conseils sur sa vie de couple, je l'ai incitée à consulter un psychologue. Je crois que mon rôle de praticienne est de lui apporter un soutien et de l'aider à conserver un Ki bien équilibré quelle que soit la décision qu'elle prenne ; d'autres spécialistes sont plus qualifiés que moi pour guider son choix.

J'aurais pu citer bien d'autres cas pour illustrer la façon dont le shiatsu permet de soulager ces problèmes quotidiens qui peuvent parfois nous gâcher la vie. La dame âgée affligée d'une arthrite à la hanche alors qu'elle aime tant fréquenter les salles de bal, le danseur qui souffre d'irritation intestinale chronique, l'asthmatique dont l'état s'est amélioré au point qu'il a pu se passer de cortisone, la mère de famille qui prend soin de tout le monde sauf d'elle-même... Ce que les gens retirent du shiatsu dépend de leur volonté active de retrouver un certain équilibre. Pour ma part, je considère le shiatsu comme une façon tout à la fois relaxante et dynamique de me retrouver moi-même. Si je pouvais recevoir une séance de shiatsu par jour, ce serait le paradis !

5

La pratique du shiatsu séquence de base

La séquence de base que je propose dans ce chapitre est celle que j'enseigne à mes étudiants débutants. C'est un enchaînement de manipulations assez simples conçu pour stimuler tous les méridiens, produire une sensation de relaxation et soulager les divers petits ennuis auxquels nous sommes tous exposés dans notre vie quotidienne. Puisqu'il s'agit d'un traitement général, il convient parfaitement dans la majorité des cas et quand vous l'aurez bien maîtrisé, vous pourrez l'appliquer à vos amis et aux membres de votre famille. Les techniques plus poussées sortent du cadre de cet ouvrage et je ne peux qu'encourager ceux d'entre vous dont la curiosité aura été éveillée par cette séquence de base à s'inscrire à un cours de shiatsu pour en apprendre davantage sur le diagnostic et la pratique. L'un de mes maîtres recommandait à ses étudiants de recommencer cinq cents fois la séance de base avant de passer à des méthodes de travail plus avancées comme le diagnostic du hara et la manipulation de méridiens spécifiques. Il me semble que c'est un conseil plein de bon sens. C'est en répétant les gestes élémentaires jusqu'à ce qu'ils deviennent une seconde nature que vous prendrez assez d'assurance pour ne plus vous inquiéter de la manœuvre qui suit et vous pourrez ainsi vous concentrer sur la manière dont vous travaillez et sur ce que vous ressentez.

C'est alors que le moment sera venu de songer à aller plus loin.

Pour ceux qui s'intéressent au diagnostic, j'explique, après la séquence de base, comment effectuer une forme simplifiée de diagnostic du hara. Pour apprendre à pratiquer convenablement la palpation à deux mains du hara, il faut vraiment que vous ayez à vos côtés un maître expérimenté qui vous aidera à franchir les diverses étapes et à interpréter ce que vous ressentez. Mais cette forme simplifiée, combinée avec les tableaux des fonctions des méridiens et des associations (voir chapitre 3), peut vous permettre de repérer un déséquilibre. Vous pourrez alors vous concentrer davantage sur les méridiens concernés tout en restant dans le cadre de la séquence de base pour en faire un traitement plus personnalisé.

QUAND LE SHIATSU EST-IL DÉCONSEILLÉ ?

Avant de commencer la séance, il y a certaines précautions générales qui doivent être observées. Le shiatsu n'est pas recommandé en cas de fièvre, de maladies infectieuses ou contagieuses, sur des brûlures, des plaies ouvertes, des os brisés ou des veines variqueuses. Pratiqué par un thérapeute expérimenté, le shiatsu peut convenir à de nombreux problèmes de santé ; mais un débutant ne saurait traiter de crise aiguë ou de cas grave comme un cancer, une maladie de cœur ou tout autre état pathologique qui représente une menace potentielle pour la vie. Les novices devraient également s'abstenir de pratiquer le shiatsu sur une femme enceinte au cours des trois premiers mois et, tout au long de la grossesse, il faut éviter les points RP6, GI4 et VB21 ainsi que les pressions appuyées sous le genou, car ces manipulations risquent de déclencher une fausse couche ou un accouchement prématuré. D'une manière générale, travaillez en douceur autour des régions douloureuses, comme les muscles raides, les tendons enflammés ou les articulations sensibles, et si vous avez le moindre doute sur l'opportunité de ce traitement relaxant de base, prenez conseil auprès d'un praticien expérimenté.

Pour tous les cas graves ou plus complexes, il vaut mieux s'en remettre à un thérapeute agréé. Outre les contre-indications mentionnées ci-dessus, le bon sens recommande d'éviter le shiatsu dans l'heure qui suit un repas copieux. Si votre partenaire a très faim, il est préférable qu'il prenne une collation légère et que vous attendiez une demi-heure avant de commencer la séance. De la même façon, si votre partenaire est essoufflé ou énervé, laissez-lui dix minutes pour s'asseoir ou s'étendre tranquillement, le temps que sa respiration et son rythme cardiaque reviennent à la normale.

LE CADRE

Vous voilà prêt à commencer. La pièce où vous vous trouvez est claire, aérée et surtout confortablement chauffée – la chaleur est importante car votre partenaire va probablement se refroidir un peu quand son métabolisme ralentira. Il est bon de prévoir une couverture pour lui couvrir les mains ou les pieds, notamment à la fin de la séance s'il s'est assoupi. Vous pourrez aussi avoir besoin d'un coussin pour ménager vos genoux ou pour soutenir la poitrine de votre partenaire afin qu'il soit bien détendu quand vous le faites se coucher sur le ventre. Rappelez-vous que la relaxation est l'un des effets les plus appréciés du shiatsu. Il faut donc que votre partenaire puisse être étendu confortablement tout au long de la séance. Si vous le souhaitez, vous pouvez mettre un peu de musique douce ou brûler des huiles essentielles parfumées pour créer une atmosphère apaisante. Bien entendu, vous aurez soin de prendre des dispositions pour n'être pas dérangé par le téléphone, vos enfants, vos animaux ou toute autre forme d'interruption. Pour votre partenaire, ce doit être un moment de calme où il peut se retrouver. Il faut donc le laisser se concentrer.

Le mieux, pour tous les deux, est de porter des vêtements larges de coton. Une tenue de jogging est idéale, car elle est chaude et autorise toutes les positions et les mouvements d'étirement qui interviennent dans la séance. Ceux de vos partenaires qui ont tendance à avoir froid aux pieds peuvent porter des chaussettes, mais pas de collants pour les femmes, car ils vous gêneraient pour stimuler chaque orteil individuellement. En ce qui vous concerne, il est essentiel que vous portiez un survêtement ou une tenue qui ne gêne en aucune façon vos mouvements. J'ai remarqué que j'attrapais vite chaud en travaillant et j'ai pu constater qu'un sweat-shirt est très facile à enlever sans rompre la continuité de la séance.

Si vous disposez d'un futon japonais, c'est la surface idéale pour le shiatsu, mais deux couvertures repliées sur un tapis sont tout aussi confortables. Ne pratiquez pas le shiatsu sur un lit. Le sommier et le matelas ruineraient l'effet de vos pressions et vous risquez bien de terminer la séance avec le dos tout endolori à force de vous pencher. Le travail au sol est plus simple et beaucoup plus efficace.

VOTRE ATTITUDE

Dans la pratique du shiatsu, votre attitude est capitale puisque vous vous servez de votre corps et de votre Ki pour aider une autre personne. C'est d'ailleurs l'essence même de ce que le shiatsu peut vous apporter sur le plan du développement personnel : vous apprendre à avoir l'esprit clair et équilibré pour être aussi efficace que possible. Les maîtres mots sont le *calme* et la *concentration*. Vous devez être dans de bonnes dispositions, ni en colère, ni perturbé, ni préoccupé, ni fatigué. Efforcez-vous de vous purifier en respirant profondément à partir de votre hara et en rejetant toutes vos sensations négatives à chaque expiration. Mais l'esprit humain a ses faiblesses et vous n'êtes pas à l'abri de certaines pensées inopinées comme « qu'est-ce que je vais faire à manger ce soir ? », « il ne faut pas que j'oublie de téléphoner à tante Marie » ou « est-ce bien ainsi qu'il faut faire ? » Contentez-vous de laisser ces idées vous traverser l'esprit et repartir. Reportez votre concentration sur vos mains et sur votre partenaire, comme si vous pratiquiez une séance de méditation.

La *respiration* et la *concentration sur le hara* sont deux autres aspects importants dont nous avons déjà parlés. Lorsque vous vous asseyez près de votre partenaire, prenez une profonde respiration et laissez l'air emplir non seulement vos poumons mais tout votre abdomen jusqu'au *tanden* (le centre du hara situé trois doigts sous le nombril). C'est une bonne façon de recharger votre Ki au début et à la fin de chaque séance. Au cours du traitement, vous pouvez vous représenter le Ki affluant vers votre hara au moment de l'inspiration et ressortir ensuite par vos mains. Cela vous permettra de renouveler votre Ki et d'éviter la sensation déplaisante de vous « vider » en apportant trop d'énergie. Il vous arrivera peut-être d'éprouver d'autres sensations indésirables comme un engourdissement, l'impression de vous imprégner de l'énergie négative de votre partenaire ou même un début de mal de tête. Ici encore le travail sur le souffle et la visualisation peuvent porter leurs fruits. Prenez deux respirations profondes et refaites le plein de Ki dans votre hara. Si vos mains s'engourdissent, secouez-les et veillez bien à expirer au moment où vous exercez votre pression ; cela favorise la transmission du Ki de vous vers votre partenaire et non dans l'autre sens. À la fin de chaque séance, je ne manque jamais de me laver les mains à l'eau froide et d'expirer deux fois de suite en vidant entièrement l'air de mes poumons. Ce petit rituel est une façon de clore mentalement la séance pour ne plus porter en moi cette personne ou son énergie. L'esprit est un instrument merveilleux qui, dans des cas comme celui-là, peut contribuer à vous assurer, à vous et à votre partenaire, une sensation de bien-être à la fin de la séance.

Lorsque vous exercez une pression, *concentrez votre conscience sur votre hara* tout au long du mouvement et *laissez-vous vous enfoncer* dans le tsubo en relâchant le poids de votre corps. Cette sorte de pression est bien moins fatigante à exercer et plus confortable à recevoir. D'ailleurs vous serez surpris de constater à quel point, quand vous êtes centré sur le hara, vous pouvez vous appuyer sur votre partenaire sans que la pression lui paraisse désagréable. La conscience du hara vous rend aussi plus sensible au Ki de votre partenaire et vous parviendrez plus facilement à moduler votre pression.

LA PRESSION

Le shiatsu se sert des mains, des pouces, des coudes, des genoux et des pieds pour exercer une pression sur les points des méridiens. La technique la plus élémentaire est l'application, sous un angle de 90 degrés, du pouce, de la paume ou du talon de la main (c'est ce qu'on appelle dans le métier la « pression perpendiculaire »). On travaille généralement avec les deux mains au contact du corps : une *main mère* qui reste immobile, posée souvent sur le hara ou sur le sacrum, et une *main active* qui est celle dont vous vous servez pour exercer les pressions. Pour votre partenaire, le contact des deux mains constitue un soutien supplémentaire qui fait la liaison entre différentes parties du corps et renforce la conscience de son être.

La pression doit être assez profonde pour vous mettre en contact avec le Ki du méridien ou du tsubo sur lequel vous travaillez. Toutefois, il m'est impossible de vous fournir une indication quantitative (en termes de kilos, par exemple), car l'intensité de la pression appropriée varie selon l'individu ou la région du corps. Si vous appuyez trop fort, vous allez faire mal à votre partenaire, qui se raidira pour se protéger. Si votre pression est insuffisante, elle ne sera pas satisfaisante non plus pour votre partenaire, car vous ne serez pas entré en contact avec son énergie. Avec la pratique, à force de vous concentrer et de rester à l'écoute de vos mains, vous apprendrez à vous accorder intuitivement sur l'énergie de votre partenaire. Il deviendra alors plus facile de percevoir le degré de pression nécessaire. La sensation d'une connexion avec le Ki s'accompagne souvent, chez votre partenaire, d'une sorte de « douleur agréable », tandis que vous percevrez peut-être un changement subtil dans le toucher de votre pouce. Ne vous inquiétez pas si vous ne sentez rien lors des premières séances ; il vous faudra un certain temps pour développer votre sensibilité au Ki, sans parler de la confiance nécessaire pour savoir que le contact s'est bel et bien produit. Si vous pensez que vous sentez le Ki, c'est probablement vrai. Tant que vous n'en êtes pas sûr, la meilleure solution est de maintenir votre pression sur chaque point pendant cinq secondes avant de passer au point suivant. Cela laisse à votre pouce ou à vos doigts une chance de s'accorder sur le Ki de ce tsubo, même si le contact échappe encore à votre esprit conscient.

À côté de la classique pression droite et profonde, il existe d'autres techniques bien utiles pour détendre les muscles trop contractés. Une friction rapide sur la peau avec le plat de la main est excellente en cas de froideur et de tension superficielle. Le pétrissage avec le pouce, la jointure des doigts ou le talon de la main est un bon moyen d'assouplir les muscles affectés d'une raideur chronique (particulièrement ceux de l'épaule, du haut du dos, des fesses et des cuisses). Lorsque les muscles sont bien détendus, vous pouvez travailler plus en profondeur avec le pouce ou le coude. On va toujours des techniques générales – pression des paumes, pétrissage, rotation – vers les plus spéciales – pression soutenue sur des points précis avec les pouces, les coudes ou les genoux.

Remarque sur le sens des manipulations. Les différentes techniques de shiatsu ne travaillent pas nécessairement dans la même direction le long des méridiens. Par exemple, dans le shiatsu zen, on manipule toujours les méridiens en partant du hara vers les extrémités quelle que soit la direction du flux énergétique sur ce méridien (Yin ou Yang). Pour simplifier, j'ai respecté dans la séquence qui suit la méthode traditionnelle qui veut que l'on travaille en remontant sur les méridiens Yin et en descendant sur les méridiens Yang conformément à la circulation naturelle du Ki dans le corps.

RÉACTIONS AU TRAITEMENT

Il peut arriver que votre partenaire ait ce que l'on appelle une « réaction de guérison » au traitement, bien que cela ne soit guère probable à la suite d'une séance générale de shiatsu comme celle que vous allez découvrir dans les pages qui suivent. Cela prend parfois la forme d'une migraine, d'un sentiment de fatigue ou de lassitude, ou encore de symptômes comparables à ceux de la grippe qui persistent environ vingt-quatre heures. Il n'y a pas de raison de s'alarmer : il suffit de se reposer et de boire beaucoup d'eau pour éliminer les toxines qui ont été libérées. Cette réaction est pour l'organisme une façon de se purifier qui fait partie du processus de guérison.

LA SÉQUENCE DE BASE DE SHIATSU

Le dos

Faites étendre votre partenaire sur le ventre, la tête tournée d'un côté (suggérez-lui de changer de côté de temps en temps pour éviter un engourdissement), les bras le long du corps, de façon à ce que les épaules soient détendues.

1. Asseyez-vous en seiza (voir illustration 7) à hauteur de ses hanches et posez une main sur le sacrum (l'os triangulaire à la base de la colonne vertébrale). Respirez profondément deux fois de suite et concentrez-vous sur votre hara (autrement dit, tournez votre conscience vers le tanden). J'appelle ce moment « faire connaissance ». Il vous permet de vous concentrer et laisse à votre partenaire le temps de se détendre et de s'habituer au contact de votre main. Beaucoup de gens sont encore réticents à l'idée de se laisser toucher par quelqu'un d'autre et cette période est essentielle pour qu'ils soient bien détendus et réceptifs.

2. Faites balancer doucement le sacrum en le poussant devant vous et en le laissant ensuite revenir un peu comme une balançoire. C'est un moyen très efficace pour relaxer le bas du dos. Poursuivez la manœuvre pendant une minute ou un peu plus, puis ralentissez le mouvement avant de l'arrêter en douceur.

Ill. 7 Position du « seiza », centrée sur le hara

3. Redressez-vous sur un genou, posez une main sur le sacrum et la deuxième à l'autre bout de la colonne vertébrale, au-dessus de l'omoplate, en plaçant le talon de votre main sur la bande de muscle qui longe la colonne. La main posée sur le sacrum est la *main mère*. Elle est à l'écoute du corps de votre partenaire et le réconforte. Si vos manipulations sont trop profondes, votre main mère enregistrera aussitôt la réaction du sacrum. Expirez en vous appuyant perpendiculairement sur votre main active (celle placée sur l'épaule). Inspirez en déplaçant vers le bas votre main d'une largeur de paume, puis expirez en exerçant à nouveau la pression (illustration 8). Rappelez-vous que votre pression doit partir du hara. Maintenez-la environ cinq secondes pour entrer en contact avec le Ki de votre partenaire. Continuez ainsi jusqu'au bas des fesses, puis ramenez votre main sur l'autre épaule et recommencez de la même manière la

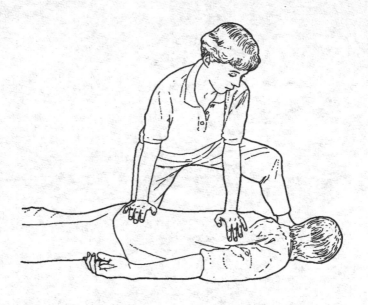

Ill. 8 Pression de la paume sur le dos

manœuvre de stimulation sur l'autre côté de la colonne vertébrale.

Évitez de toucher l'épine dorsale et veillez à travailler en douceur sur la région lombaire (le bas du dos) où il n'y a plus de côte pour protéger les organes internes. Vous verrez que, pour cette manœuvre, de même que pour toutes les techniques de travail sur le dos, vous devrez plier les genoux et déplacer vos hanches pour appliquer efficacement votre pression en partant du hara. Recommencez trois fois de suite.

4. Retirez maintenant votre main du sacrum et recommencez la même technique des deux côtés à la fois en vous servant de vos deux mains. Répétez trois fois la manœuvre.

5. Empoignez dans chaque main les muscles des épaules et pétrissez-les pour qu'ils soient bien relâchés.

6. En partant à mi-hauteur entre les omoplates, placez vos pouces de chaque côté de la colonne vertébrale à une dis-

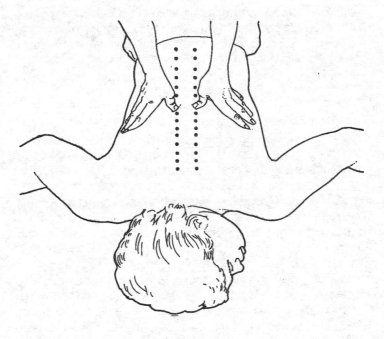

*Ill. 9 Pressions des pouces sur le méridien V
et les points Yu du dos*

tance d'un pouce et demi. Les bras tendus, appuyez-vous sur
vos pouces en expirant à partir du hara, puis relâchez la pression (illustration 9). Nous stimulons ici les points Yu sur le
méridien de la Vessie – reportez-vous à l'illustration 5 pour
voir dans le détail quels points sont associés aux différents
méridiens et organes. Descendez d'environ un pouce et
recommencez à appuyer. Poursuivez la manœuvre jusqu'à
ce que vous arriviez au sacrum. Continuez ensuite à travailler sur les *foramens*, c'est-à-dire les trous de l'os et,
puisque le sacrum a une forme triangulaire, vos pouces se
rejoindront presque en bas. Répétez trois fois la manœuvre.

Rappelez-vous qu'il est essentiel de travailler à partir du
hara dans les manipulations sur les points Yu car les pres-

sions entre les apophyses latérales de la colonne vertébrale sont directement reliées aux organes internes à la fois par les méridiens et par l'influx nerveux. Repassez trois fois de suite sur toute la rangée des points Yu depuis les omoplates jusqu'au bout du sacrum.

Les fesses

7. Nous avons tous tendance à accumuler une tension considérable dans les muscles fessiers. Chez certaines personnes, il s'y amasse aussi des tissus adipeux. Dans les deux cas, le shiatsu peut être bénéfique. Commencez par appuyer les paumes sur toute la largeur des fesses. Votre pression doit partir du hara. Cela aidera votre partenaire à bien relâcher les muscles posturaux profonds où la tension s'accumule facilement. Ensuite, en plaçant le talon de chaque main dans le creux sur le côté des fesses, effectuez de larges mouvements circulaires en maintenant fermement la chair sous votre main de façon à faire bouger le muscle en même temps.

8. Cherchez, au milieu de chaque fesse, le point sensible et exercez-y trois pressions successives. C'est le point VB30 (voyez sa position exacte sur l'illustration 11) ; il est très efficace pour soulager la sciatique et les douleurs dans le bas du dos.

Les méridiens Yang de la jambe

9. Placez-vous à hauteur des jambes. Posez votre main mère sur le sacrum et, avec votre main active, palpez de la paume l'arrière de la jambe en descendant de la cuisse jusqu'à la cheville. Évitez d'appuyer derrière le genou car cela provoquerait une sensation désagréable dans la rotule. Descendez trois fois de suite le long de la même ligne en exerçant des pressions du pouce – c'est toujours le méridien de la Vessie (illustration 10). Travaillez délicatement sur le muscle du mollet, qui est souvent douloureux. Quand vous arrivez au tendon d'Achille, pincez-le entre le pouce et l'index, puis continuez sur la face externe du pied jusqu'au petit orteil.

Ill. 10 Pressions du pouce le long du méridien de la Vessie

*Ill. 11 Stimulation du point VB30
et du mériden de la Vésicule biliaire*

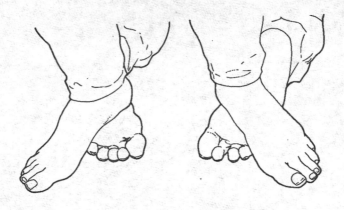

Ill. 12 Pression des pieds

10. Ramenez le pied vers la fesse en écartant le genou de façon à exposer le côté de la jambe. C'est la position d'étirement pour le méridien de la Vésicule biliaire qui court sur la face externe de la jambe jusqu'au quatrième orteil. Répétez les mêmes manœuvres que pour le méridien de la Vessie : pression de la paume sur toute la longueur du méridien de la Vésicule biliaire, puis pression du pouce trois fois de suite. La main mère doit toujours être posée sur le sacrum (illustration 11).

11. Étendez doucement les jambes de votre partenaire et déplacez-vous vers les pieds. Mettez-vous debout en posant les plantes de vos pieds sur les pieds (cf. ill. 12) de votre partenaire, mais en gardant vos orteils au sol pour assurer votre équilibre. Balancez-vous en douceur d'un côté puis de l'autre comme si vous marchiez sur ses pieds (illustration 12).

Passez ensuite de l'autre côté du corps et répétez le travail sur les méridiens de la Vessie et de la Vésicule biliaire sur cette jambe (voir paragraphes 9 et 10). Demandez à votre partenaire de se retourner.

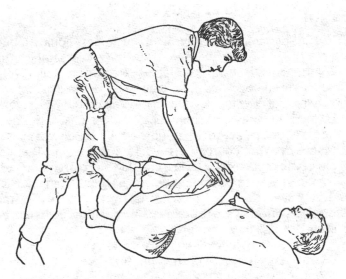

Ill. 13 Genoux ramenés contre la poitrine

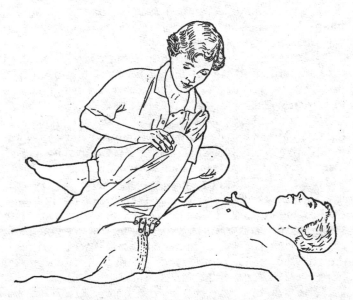

Ill. 14 Rotation d'une seule jambe

Rotations des jambes

12. Pour compléter le travail sur le dos, nous allons à présent pratiquer quelques rotations des jambes qui contribueront à fléchir la colonne vers l'avant. Tenez-vous debout et soulevez les deux jambes en les prenant sous le genou. Pour effectuer les deux mouvements qui vont suivre, il faudra que vous soyez bien centré sur votre hara, sans quoi vous risquez de perdre l'équilibre ou encore de terminer la séance avec des courbatures. Écartez bien les pieds et fléchissez les genoux de façon à ce que vous puissiez créer la rotation par un mouvement de vos hanches. Ramenez les deux genoux de votre partenaire contre sa poitrine (illustration 13), maintenez-les dans cette position pendant dix secondes, relâchez, puis pressez à nouveau.

13. Faites balancer les deux genoux ensemble pour décrire un cercle aussi large que possible sans que cela soit inconfortable pour votre partenaire. Tournez trois fois dans chaque sens. Un petit truc pour bien contrôler le poids des jambes : tenez-les un peu plus bas que le genou, les mains posées juste sous les rotules, comme on le voit sur l'illustration.

14. Pressez à nouveau les genoux contre la poitrine et, en les gardant fléchis, faites-les ensuite basculer d'un côté jusqu'au sol, puis de l'autre côté. Ce mouvement crée une torsion très bénéfique pour le bas du dos.

15. Reposez les jambes étendues. Placez une main sur le hara, fléchissez une des jambes et faites-la tourner lentement dans un sens, puis dans l'autre. C'est un excellent exercice de mobilisation de la hanche (illustration 14).

16. Étendez la jambe et, en gardant la main mère sur le hara, exercez trois fois de suite des pressions de la paume en descendant le long de la cuisse. C'est le méridien de l'Estomac (illustration 15). Suivez à présent la même ligne en exerçant des pressions du pouce. Sous le genou, le méridien de l'Estomac commence à longer la face externe du tibia. C'est là, à quatre doigts sous la rotule et à un pouce vers l'extérieur du tibia, que se trouve le point du corps le plus utile en cas de problèmes digestifs, de fatigue ou de douleur

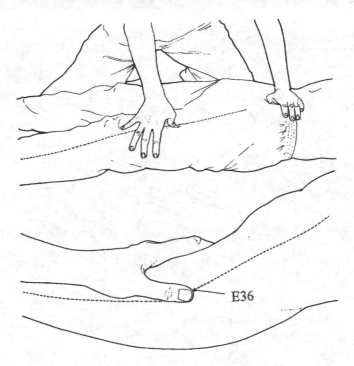

*Ill. 15 Méridien de l'Estomac sur la face antérieure
de la jambe – Détail montrant la position du point E36*

dans les jambes : le point E36. Continuez à exercer vos pressions en descendant le long du tibia, puis sur le dessus du pied, jusqu'au deuxième orteil.

17. Placez-vous près du pied. Déposez-le sur vos genoux et faites-le pivoter dans les deux sens aussi loin que possible, mais en restant dans les limites du confortable. Malaxez le dessus et la plante du pied et tapotez sur toute la surface de la plante avec votre poing légèrement serré. Pressez sur le point R1 qui se trouve au milieu, juste sous l'éminence métatarsienne (l'illustration 18 indique sa position exacte). Travaillez ensuite sur le point F3 dans le creux au-dessus du pied, juste derrière le gros orteil (illustration 16). Faites

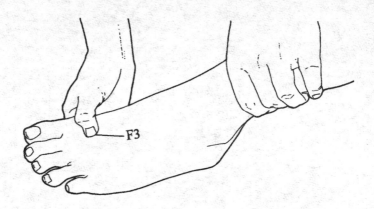

Ill. 16 Position du point F3

remuer chaque orteil l'un après l'autre, pincez-les et étirez-les pour stimuler les extrémités des méridiens.

Les méridiens Yin de la jambe

18. Retournez vous placer à hauteur des hanches, soulevez la jambe, faites-la pivoter et posez-la le genou fléchi, tourné vers l'extérieur, avec la face interne du pied contre la cheville de l'autre jambe. C'est la position d'étirement pour le méridien de la Rate qui part du côté du gros orteil, contourne la bosse de la cheville, longe la face interne du tibia, puis celle de la cuisse (illustration 17). Sur ce méridien se trouve le point RP6 (trois doigts au-dessus de l'articulation de la cheville, juste derrière l'os), dont le nom signifie en Orient « point de rencontre des trois Yin » puisqu'il se situe au croisement des méridiens de la Rate, du Foie et des Reins. Le point RP6 est très efficace pour toutes sortes de problèmes gynécologiques et pour soulager la douleur dans le bas du corps. *Ce point ne doit pas être utilisé pendant la grossesse, car une forte stimulation risquerait de provoquer*

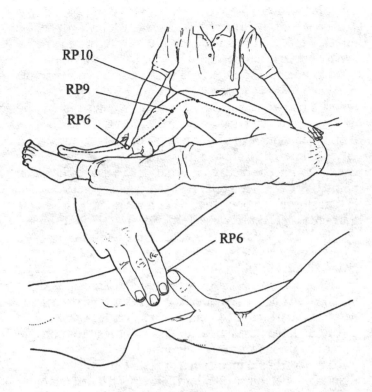

Ill. 17 Méridien Rate/Pancréas
Détail montrant la position du point RP6

une fausse couche. Remontez trois fois de suite avec des pressions du pouce en partant du gros orteil vers le point RP6, puis longez la face interne du tibia (en restant juste derrière l'os) jusqu'au genou. Au-dessus du genou, palpez de la paume le méridien deux fois de suite, avant de passer à des pressions plus précises. C'est une zone qui se prête bien au travail avec le coude, qui peut exercer une pression tout à la fois puissante et relâchée sur les grands muscles de la cuisse. Comme on le voit sur l'illustration, le méridien longe le côté de la face antérieure de la cuisse. N'oubliez pas de laisser votre main mère sur le hara afin de rester à l'écoute du Ki. Répétez trois fois de suite le travail sur cette partie supérieure de la jambe.

19. Soulevez la jambe en la tenant par le genou comme précédemment et faites-lui accomplir quelques mouvements de rotation, puis reposez-la avec la face intérieure du pied contre le genou de l'autre jambe. C'est la position d'étirement pour le méridien du Foie qui longe le gros orteil du côté intérieur (c'est-à-dire entre le gros orteil et le deuxième doigt de pied) et passe au-dessus du pied jusqu'au point RP6. De là, il remonte devant la jambe, exactement sur le tibia, jusqu'aux deux tiers de sa hauteur où il glisse vers l'arrière pour revenir croiser le méridien de la Rate et longer ensuite l'articulation du genou par l'intérieur, puis la cuisse parallèlement au méridien de la Rate, mais juste derrière le grand adducteur (le muscle interne de la cuisse qui, chez beaucoup de gens, est souvent contracté). Travaillez sur le méridien du Foie de la même façon que sur celui de la Rate : pressions du pouce en remontant sur le bas de la jambe, puis travail de la paume sur la cuisse, avant les pressions du pouce ou du coude, trois fois de suite.

20. Le troisième méridien Yin de la jambe est celui des Reins. Pour obtenir sa position d'étirement, il faut remonter le pied aussi haut que possible, comme on le voit sur l'illustration 18. Commencez par le point R1, qui porte le nom de « Source bouillonnante » et se trouve sur la plante du pied juste derrière l'éminence métatarsienne. Appliquez des pressions du pouce autour de la malléole interne de la cheville, remontez en passant par le point RP6, puis en suivant le galbe du mollet jusqu'au pli du genou. Passé le genou, travaillez avec la paume ou le bout des doigts, comme on le voit sur l'illustration, en longeant presque la face postérieure de la cuisse.

21. Recommencez quelques mouvements de rotation, puis étendez doucement la jambe. Passez de l'autre côté et répétez les manœuvres 15 à 21 sur l'autre jambe. Remontez ensuite pour vous placer à hauteur du hara.

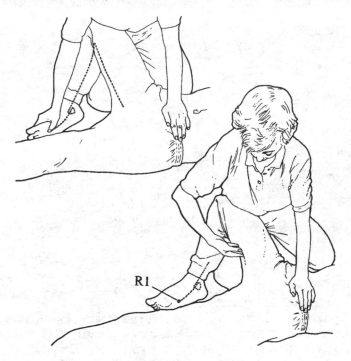

*Ill. 18 Méridien des Reins
Détail montrant la position du point R1*

Le hara

Le hara est une région très sensible et intime où nous n'avons pas l'habitude d'être touchés. Votre partenaire aura peut-être besoin d'un peu de temps avant de se relaxer et de s'ouvrir à vous. Aussi, soyez patient. En traitant directement le hara, on peut stimuler l'action des intestins et favoriser l'élimination des déchets et des toxines. Chez la femme, l'appareil génital se trouve dans la partie inférieure du hara. Il est donc possible, en travaillant sur cette région, de soulager les douleurs menstruelles et d'éviter l'accumulation de déchets et de toxines dans les ovaires et l'utérus.

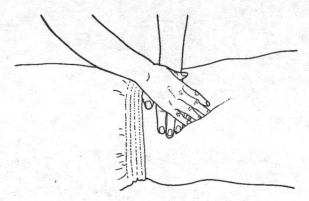

Ill. 19 Le massage du hara

Quand votre partenaire est une femme, veillez à travailler en douceur si elle a ses règles.

22. Asseyez-vous à côté de votre partenaire, tourné vers lui. Posez une main au centre du hara et l'autre par-dessus, puis attendez quelques instants, le temps de « faire connaissance » à nouveau. Commencez à vous balancer lentement d'avant en arrière avec un mouvement de palpation des mains comme si vous pétrissiez très délicatement de la pâte. Ce n'est pas une friction : vos mains ne doivent pas glisser sur la peau mais, au contraire, imprimer aux intestins un mouvement de vague. Poursuivez la manœuvre pendant trois minutes, d'abord très légèrement, puis plus en profondeur, avant de revenir progressivement à l'immobilité. Évitez d'arrêter trop brusquement car vous risqueriez de déconcerter votre partenaire.

23. Tournez-vous maintenant sur le côté de façon à être assis parallèlement à votre partenaire et posez votre main la plus éloignée sur le tanden. Avec votre main active, vous allez stimuler le pourtour du hara en partant du plexus solaire. Si l'on se représente le hara de votre partenaire comme un cadran d'horloge, par exemple, il va falloir exercer une pression à l'emplacement de chaque numéro.

Appuyez avec le bout des doigts au moment où vous expirez tous les deux (illustration 19). Inspirez et déplacez votre main active jusqu'à la position suivante, puis expirez à nouveau. Continuez à un rythme régulier et faites deux fois le tour du hara, puis, avec la même technique de pression, descendez en ligne droite vers le centre du hara sans appuyer directement sur le nombril.

La poitrine

Tout ce qui concerne les problèmes affectifs, les troubles respiratoires, les maladies cardiaques et pulmonaires se rattache à la poitrine.

24. Placez vos pouces dans les interstices entre les côtes de la cage thoracique. Stimulez l'un après l'autre, jusqu'en haut du thorax, les espaces intercostaux près du sternum en maintenant chaque fois votre pression pendant cinq secondes. Évitez d'appuyer sur les seins. Lorsque vous arrivez sous la clavicule, suivez-la jusqu'au creux situé juste

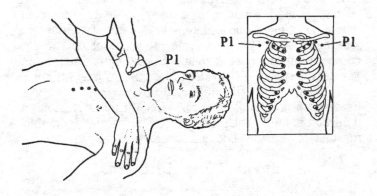

Ill. 20 Pressions des pouces sur les points P1
Détail montrant les points à stimuler entre les côtes
sur le méridien des Poumons

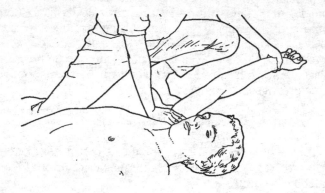

Ill. 21 Rotation du bras

avant l'articulation de l'épaule. Une largeur de pouce plus bas, vous trouverez le point P1, très efficace pour tous les problèmes de poumons, de bronches ou de gorge (illustration 20).

25. Placez votre main la plus proche sur l'épaule de votre partenaire et, de l'autre, prenez son poignet. Ensuite, en tenant fermement l'articulation de l'épaule, faites décrire lentement à son bras un large mouvement de rotation comme pour la nage sur le dos. Étirez le bras bien tendu par-dessus sa tête (illustration 21), puis ramenez-le sur le côté et, enfin, le long du corps et tirez le bras et l'épaule vers les pieds. Quand on la maîtrise bien, c'est une manœuvre d'étirement fluide et agréable qui détend véritablement les muscles de l'épaule et de la poitrine.

Les méridiens Yin du bras

26. Reposez le bras de façon à ce qu'il forme un angle droit avec le corps, paume tournée vers le haut. Les trois méridiens Yin du bras sont ainsi exposés : Poumons, Maître du Cœur et Cœur. Ils partent de l'aisselle vers la main (illustration 22). Travaillez de la manière habituelle en commen-

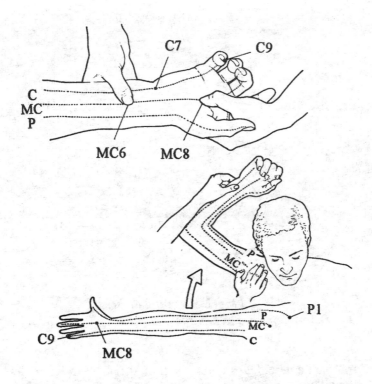

*Ill. 22 Méridiens Yin du bras – Étirement du méridien C
et position des tsubos de la main et du poignet*

çant par les pressions de la paume. Cette fois votre main est assez grande pour couvrir les trois méridiens ensemble. En pressant avec le pouce, longez ensuite la face supérieure du bras, où se trouve le méridien des Poumons qui se termine au bout du pouce. Répétez trois fois la manœuvre. Puis travaillez trois fois de suite sur le Maître du Cœur, au milieu du bras, qui s'achève au bout du majeur. Pour traiter le méridien du Cœur, fléchissez le bras de votre partenaire de façon à ce que sa main vienne au-dessus de sa tête. S'il a une raideur dans l'épaule, vous devrez peut-être glisser votre genou

115

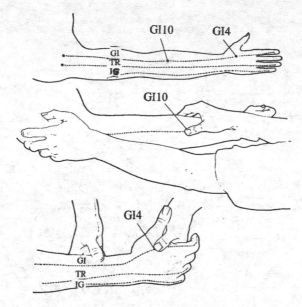

Ill. 23 Méridiens Yang du bras
Détail montrant la position des ponts GI10 et GI4

sous son coude. Dans cette position, il vous sera facile de travailler en partant du creux de l'aisselle, le long du côté inférieur du bras jusqu'à la face intérieure du petit doigt.

27. Placez-vous près de la main et empoignez-la fermement en faisant glisser vos pouces sur la paume comme pour l'étaler. Ensuite, pétrissez la paume entre vos mains. Faites tourner chaque doigt. Pincez-les sur les côtés et étirez-les légèrement l'un après l'autre pour stimuler l'origine et la fin des méridiens du bras. Il y a sur la main plusieurs tsubos très utiles : le point MC8 au milieu de la paume, pour les douleurs cardiaques et l'anxiété ; le point C9 sur la face intérieure du petit doigt, qui est efficace lui aussi pour les problèmes de cœur et les palpitations ; le point GI4 sur le dos de la main, entre le pouce et l'index. *Ne stimulez pas ce point pendant la grossesse, car cela risquerait de provoquer une fausse couche ou un accouchement prématuré.* Le point GI4

est bénéfique pour la vitalité d'une manière générale et en cas de maux de tête et de problèmes intestinaux. Exercez trois pressions successives de dix secondes chacune avec votre pouce, en vous servant de l'index pour soutenir la paume. C'est souvent un point assez sensible, alors soyez délicat et travaillez à partir du hara.

Les méridiens Yang du bras

28. Placez le bras paume tournée vers le sol de façon à exposer le méridien du Gros Intestin, le Triple Réchauffeur et le méridien de l'Intestin grêle. Ils partent du bout des doigts et courent le long de la face externe du bras jusqu'à l'épaule et, de là, à la tête. Rappelez-vous que, pour comprendre le réseau des méridiens, il faut se représenter l'homme les bras tendus vers le haut, traversé par le Yang du Ciel et le Yin de la Terre. C'est pourquoi le flux du Yang, dans les méridiens du bras, va des mains vers les épaules. Commencez par des pressions de la paume sur les trois méridiens à la fois, en laissant votre main mère sur l'épaule. Parcourez ensuite avec des pressions du pouce le méridien du Gros Intestin en partant du bout de l'index, puis en passant par le point GI4 dans l'espace entre le pouce et l'index et le point GI10, un tsubo situé au-dessus du muscle de l'avant-bras, à trois largeurs de doigt du pli du coude (illustration 23). Le point GI10 est bénéfique pour l'énergie et le dynamisme. C'est aussi un point utile pour soulager la douleur dans les bras et le haut du corps. Continuez les pressions du pouce en remontant entre le biceps et le triceps jusqu'à la fossette antérieure à l'extrémité du deltoïde (si vous ne parvenez pas à la trouver au toucher, demandez à votre partenaire de lever le bras et vous verrez distinctement les deux fossettes).

29. Travaillez ensuite sur le Triple Réchauffeur qui part de l'annulaire, continue entre les deux os de l'avant-bras, puis derrière le haut du bras jusqu'à la fossette postérieure à l'extrémité du deltoïde.

30. Le méridien de l'Intestin grêle commence sur l'extérieur du petit doigt. Il suit la face postérieure du cubitus, puis

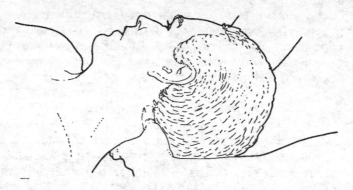

Ill. 24 Position du point VB20

longe le triceps derrière le haut du bras jusqu'à l'arrière du pli de l'aisselle. Vous pouvez le traiter dans cette position ou encore placer le bras en travers de la poitrine pour avoir plus facilement accès au haut du méridien. Comme précédemment, répétez la manœuvre trois fois de suite. Secouez un peu le bras et reposez-le. Occupez-vous ensuite de l'autre bras en reprenant au paragraphe 25.

Le cou et la tête

31. Déplacez-vous pour vous asseoir près de la tête de votre partenaire. Mettez ses épaules bien à plat et poussez-les devant vous pour étirer le cou, puis faites glisser vos mains le long du cou et tirez doucement la tête vers vous en vous penchant en arrière. Recommencez trois ou quatre fois cette alternance de poussées et de tractions.

32. Glissez le bout de vos doigts sous le cou et massez avec de petits mouvements circulaires pour relâcher les muscles de l'arrière du cou jusqu'à la base du crâne. Remontez ensuite le long des vertèbres cervicales en exerçant des pressions de chaque côté. La technique de pression consiste ici à placer vos doigts, puis à les ramener doucement vers vous en vous penchant un peu vers l'arrière.

N'oubliez pas que votre pression doit être perpendiculaire au corps. Lorsque vous arrivez à la tête, travaillez sur tous les points qui vous paraissent tendus à la base du crâne.

33. Tournez la tête d'un côté et stimulez le point VB 20 qui se trouve dans le creux entre les deux grands muscles du cou, le trapèze et le sterno-cléido-mastoïdien (illustration 24). Ce point permet de traiter les maux de tête, les tensions, les douleurs et les raideurs dans le cou. Redescendez le long du cou en exerçant des pressions du pouce, puis continuez au-dessus du muscle de l'épaule jusqu'à l'articulation. Tournez la tête et occupez-vous de l'autre côté.

34. Remettez la tête droite. Pour toutes les pressions que vous allez appliquer sur la tête de votre partenaire, veillez bien à appuyer fermement, mais en douceur. En posant un pouce par-dessus l'autre, commencez à travailler entre les sourcils, puis remontez jusqu'au sommet du crâne en passant par le milieu du front (illustration 25). Revenez aux sourcils et glissez vos index dans le haut de l'encoche au coin de l'arcade et du nez. Tirez légèrement vers vous pour exercer une pression. C'est le point V2, excellent pour soulager les maux de tête et la fatigue oculaire.

35. Suivez ensuite l'arcade sourcilière en appliquant une pression des index au-dessus du sourcil et du pouce sur le bord interne de l'orbite. Veillez à ne pas tirer sur la peau à cet

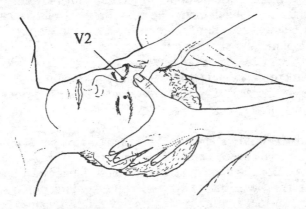

Ill. 25 Massage du front et position du point V2

endroit car elle est très délicate. C'est une manœuvre de shiatsu excellente pour les soins de beauté du visage.

36. Massez doucement les tempes en décrivant des cercles, puis faites glisser vos index de chaque côté du nez sur le point GI20 situé au bord externe des narines. Ce point contribue à soulager la congestion des muqueuses nasales. Travaillez ensuite sur l'extérieur des pommettes en exerçant une pression légèrement ascendante à la base de l'os. Lorsque vous arrivez aux muscles de la mâchoire, effectuez lentement mais fermement des mouvements circulaires, car c'est un endroit où les muscles sont souvent tendus, surtout chez les gens qui refoulent leurs mouvements de colère. Travaillez en douceur autour des lèvres en suivant l'emplacement des dents et des gencives, puis pincez le bord de la mâchoire inférieure entre le pouce et l'index.

37. Finalement, massez tout autour des oreilles avec le pouce et l'index et tirez légèrement sur les lobes. C'est très apaisant !

38. Retournez vous asseoir près du hara de votre partenaire et posez une main sur le tanden, juste sous le nombril. Respirez lentement et profondément trois fois de suite, en vous concentrant sur votre hara, pour faire passer par vos mains le fluide chaud et bénéfique du Ki vers votre partenaire. Laissez votre main immobile un moment tandis que vous mettez mentalement « le point final » à cette séance. Puis écartez-vous doucement, placez une couverture sur votre partenaire si cela vous semble indiqué et allez vous laver les mains. Vous devriez aussi prendre l'habitude de respirer profondément trois ou quatre fois de suite pour bien vous « recharger » si vous avez trop sollicité votre propre Ki au cours de la séance.

Ainsi décrite sur le papier la séance de base paraît plutôt longue, mais avec la pratique vous attraperez le rythme et vous pourrez facilement la mener à bien en une heure environ. En fait, les séances ne devraient jamais durer plus d'une heure, surtout si votre partenaire est affaibli, car de trop longues manipulations de son énergie auraient tendance à la dissiper. Une courte séance, qui ne reprend qu'une partie de cette séquence, par exemple le dos, ou les mains et les pieds, peut s'avérer très relaxante et revitalisante. Mon objectif en décrivant une séance de base dans son ensemble est de vous permettre de vous familiariser avec ce genre de traitement et de bien le maîtriser pour être en mesure, ensuite, de vous concentrer sur certaines phases, d'en sauter d'autres, d'improviser, d'ajouter de nouvelles techniques : bref, d'être créatif. Le shiatsu n'a rien d'une routine bien établie où les manipulations se suivent dans un ordre immuable. Chaque séance devrait être un événement unique et imaginatif. Une «formule» comme cette séance de base peut vous aider à apprendre les techniques fondamentales du shiatsu dans une séquence logique et facile à mémoriser. Elle met aussi à votre disposition une gamme de manipulations qui vous permet de traiter tout le corps. Quand vous aurez assimilé la forme, vous pourrez vous concentrer sur le fond, c'est-à-dire ce que vos mains ressentent, et choisir les techniques qui correspondent aux besoins de votre partenaire à un moment donné.

Dans sa pratique professionnelle, un thérapeute peut suivre sa propre séquence de travail ou s'en remettre à son intuition pour lui indiquer les régions du corps sur lesquelles il va concentrer son attention au cours de la séance. Personnellement, je commence toujours par le diagnostic du hara, sauf si le patient vient me consulter pour la première fois et se montre très nerveux ; auquel cas je travaillerai d'abord sur le dos. Lorsque j'ai palpé le hara et découvert où sont localisées les principales perturbations, je me mets à travailler sur les méridiens concernés (généralement deux, parfois trois), en commençant par les jambes ou les bras, y compris les mains ou les pieds dont je m'occupe systématiquement pour stimuler l'origine et la fin de tous les méridiens. Puis, je continue sur les mêmes méridiens dans les membres que je n'ai pas encore traités.

Par exemple, si je diagnostique un Maître du Cœur kyo et un méridien de la Vessie jitsu, je commencerai par une tonification du Maître du Cœur dans la poitrine et le bras et, éventuellement, par une manipulation sédative du méridien supplémentaire de la Vessie dans le bras. Ensuite, je tonifierai le Maître du Cœur supplémentaire dans la jambe, avant de faire se retourner mon partenaire pour travailler sur le dos – essentiellement le méridien de la Vessie – et sur l'arrière des jambes, par des manœuvres de sédation. Le dos, avec les points Yu, est un élément essentiel du traitement que je ne néglige jamais. Et je termine d'habitude par le cou et un massage relaxant du visage. Il m'arrive parfois de repasser par les pieds pour aider le patient à « revenir sur terre » et de retourner ensuite au hara pour un nouveau diagnostic qui me révélera ce qui a changé au cour de la séance. J'utilise aussi une technique plus subtile au niveau éthérique pour percevoir et équilibrer les Trois Réchauffeurs, les trois chakras centraux, situés à hauteur du cœur, du plexus solaire et du tanden. Pour moi, chaque séance est très différente et, même si le diagnostic est comparable, chaque personne réclame une approche et une méthode particulières. C'est ce qu'il y a de si fascinant dans la pratique du shiatsu.

DIAGNOSTIC SIMPLE, À UNE MAIN, DU HARA

Quand vous aurez assimilé la séquence de base de shiatsu décrite dans ce chapitre, vous souhaiterez peut-être vous orienter vers un travail sur des méridiens précis pour soulager certains problèmes de santé. Avec le tableau des associations et déséquilibres des méridiens qui se trouve au chapitre 3 et la forme simplifiée de diagnostic du hara que je vais décrire ici, on peut poser un diagnostic raisonnablement précis selon la méthode kyo-jitsu, qu'il vous suffira ensuite d'appliquer à la séquence de base en vous concentrant davantage sur les méridiens concernés et en laissant de côté d'autres étapes. Je tiens à insister sur le fait que vous ne trouverez pas ici un véritable diagnostic de shiatsu. Si vous voulez vraiment apprendre le diagnostic du hara, il vous faudra prendre des cours pratiques. Vous ne pouvez espérer acquérir en profondeur un savoir-faire dans un livre ; il vaut beaucoup mieux avoir à vos côtés une personne qualifiée pour vous guider.

Reprenez l'illustration 4 (page 65) qui montre la carte de Masunaga avec les différents secteurs de diagnostic du hara. Asseyez-vous en seiza près de votre partenaire, la cuisse contre son côté et la tête tournée vers lui. De votre main la plus proche, parfaitement *relâchée*, palpez légèrement l'une après l'autre chaque zone pour voir comment le bout de vos doigts s'enfonce dans le hara aux différents endroits. Tout le secret ici consiste à garder vos doigts bien détendus et à les diriger perpendiculairement au corps de votre partenaire. Imaginez que vous trempez lentement le bout de vos doigts dans un bol d'eau pour sentir si elle est chaude. Mais ce que l'on cherche à sentir ici, c'est la qualité kyo ou jitsu de chaque zone. Est-ce qu'elle semble flasque ou tendue ? Est-ce qu'elle cède ou est-ce qu'elle résiste ? Est-elle molle ou élastique ? Plutôt que d'appuyer, essayez de poser simplement vos doigts à la surface du hara et remarquez comment ils s'y enfoncent. Si le toucher est très flasque, s'il n'y a ni résistance ni réaction, c'est un contact kyo. Les zones jitsu sont plus fermes ou plus élastiques et nettement sensibles au toucher.

Recommencez à tâter toutes les zones et tâchez de déterminer laquelle est la plus kyo et laquelle la plus jitsu. D'habitude, on parcourt les secteurs du hara en suivant cet ordre-ci : C, VB, F, P droit, E, TR, P gauche, C, MC, RP (posez ici vos doigts plus à plat pour éviter que votre diagnostic soit perturbé par les pulsations cardiaques), R, V, GI gauche, IG gauche, GI droit, IG droit. En suivant toujours le même ordre (qui n'est d'ailleurs qu'une convention), on développe une habitude qui permet de se concentrer uniquement sur ce que l'on ressent, sans se demander quelle est la zone suivante ou si l'on en a pas oublié une.

Le plus kyo et le plus jitsu des secteurs correspondent aux méridiens les plus perturbés, et vous pourrez alors leur prêter une attention toute particulière au cours de la séance. D'ordinaire, nous consacrons plus de temps à la tonification du kyo, qui est considéré comme la cause du déséquilibre. Avec le temps, si vous traitez régulièrement un même parte-

naire, vous commencerez à remarquer certaines combinaisons dans le diagnostic et, en vous reportant à leurs associations théoriques, vous prendrez conscience des liens et des
interactions qui existent entre la pratique et la théorie. C'est
là le véritable point de départ de votre découverte du monde
fascinant de la dynamique du Ki.

6

Exercices parallèles

Nous allons voir à présent que la pratique du shiatsu n'est pas simplement un ensemble de techniques que l'on applique à un partenaire. C'est tout un mode de vie et une façon d'être. Les perceptions et la sensibilité qui nous servent pour le shiatsu sont des qualités innées qu'il est possible de développer par la pratique et par certains exercices particuliers. Ceux-ci sont pour la plupart très simples. Ils ne réclament que peu de temps et peuvent facilement prendre place dans la vie quotidienne. On enseigne ces exercices de développement personnel dans les écoles de shiatsu pour aider les étudiants à acquérir de la pratique, et il m'arrive souvent d'en recommander l'un ou l'autre à mes patients comme « travail à domicile » pour soulager un problème particulier.

L'important c'est que les exercices soient à la portée de la personne qui les pratique. Il ne sert à rien de prescrire une heure de jogging quotidien pendant la pause de midi à un homme d'affaires qui a une tendance à l'embonpoint et qui est toujours entre deux rendez-vous. De la même façon, il ne faut pas s'attendre à ce qu'une couche-tard comme moi se lève à l'aurore pour faire une heure de yoga avant le petit déjeuner !

Pour ma part, j'apprécie tout particulièrement les exercices que je peux pratiquer relativement vite ou, mieux encore, tout en m'occupant des autres tâches de la journée. Cela ne veut pas dire que je n'ai jamais pris le temps de me consacrer à mon épanouissement personnel. Pendant toute une période de ma vie j'ai passé énormément de temps à pratiquer la méditation, le yoga, l'aïkido, à cuisiner des plats où le Yin et la Yang étaient parfaitement équilibrés, et d'autres choses encore. Aujourd'hui, j'ai une clientèle nombreuse et je dirige une école de shiatsu, sans parler de ma vie de famille et de plusieurs œuvres dont je m'occupe. C'est pourquoi, il me semble que mon travail et les principes qui le régissent me tiennent lieu d'exercices de développement personnel. À mes yeux, la pratique du shiatsu pendant six heures par jour ou même davantage constitue une discipline physique et spirituelle suffisante. Mais, bien entendu, ma situation est assez privilégiée. Si vous en êtes à vos premiers pas sur la voie du shiatsu et de la connaissance de soi, essayez de consacrer au moins une demi-heure par jour à quelques-uns de ces exercices. Il est important pour chacun de nous de passer un peu de temps seul avec soi-même et de se retrouver, surtout pour ceux qui sont très sollicités. Une mère de famille fort occupée me disait récemment : « C'est en existant par moi-même et en faisant quelque chose de positif pour moi que j'ai pu me sentir à nouveau moi-même ! »

Je m'aperçois que les gens qui viennent me trouver pour la première fois ont généralement besoin d'activités qui ne leur prennent pas trop de temps, mais qui sont efficaces. Les exercices suivants sont tout simples et peuvent véritablement changer votre qualité de vie.

EXERCICES DE RESPIRATION ET D'ÉPANOUISSEMENT DU HARA

L'une des choses les plus précieuses que nous puissions apprendre est comment entrer en contact avec notre hara. Les Orientaux disent que le corps et l'esprit se rencontrent dans le hara : il est le centre de notre énergie physique et de nos forces mentales, l'essence même de notre être. La première étape pour domestiquer le pouvoir du hara est la conscience.

126

Exercice 1

Posez le bout de vos doigts sur votre tanden, le centre de votre hara, qui se trouve à trois largeurs de doigts sous le nombril, et appuyez légèrement. Imaginez qu'il y a là, à l'intérieur de votre corps, une sphère de lumière. Au cours de votre journée, souvenez-vous de temps en temps de cette sphère de lumière et soyez simplement conscient de sa présence tout en poursuivant vos activités normales. La prochaine fois qu'il vous faudra grimper plusieurs volées d'escaliers ou courir sur une certaine distance, au lieu de penser à vos jambes fatiguées et à votre poitrine douloureuse, songez à cette sphère de lumière dans votre hara, et tout vous paraîtra plus facile. Le hara n'est pas moins utile dans les situations psychologiquement éprouvantes : si vous sentez la colère ou la peur monter en vous, respirez profondément plusieurs fois de suite en laissant l'air se répandre en vous jusque dans votre hara, portez votre conscience sur votre tanden, au besoin vous pouvez même le toucher pour mieux vous concentrer. Vous pourrez ainsi maîtriser la peur ou la colère. Vous verrez la situation avec plus de distance et vous vous sentirez mieux à même de réagir comme il convient.

Exercice 2

C'est un exercice qui réclame dix minutes de tranquillité et de solitude. Asseyez-vous confortablement soit sur une chaise soit sur le sol, les jambes croisées ou en seiza, le dos bien droit. Centrez votre conscience sur votre hara. Inspirez profondément par le nez en imaginant votre souffle comme un flot de lumière qui se déverse sur votre hara. Gardez en vous l'image de la lumière et laissez ressortir l'air par votre bouche, de façon à créer dans votre hara une réserve de lumière qui se fait plus intense à chaque inspiration. C'est un exercice qui peut être effectué pour lui-même ou à titre de préparation avant une séance de shiatsu. Si vous vous apprêtez à pratiquer le shiatsu, vous pouvez ensuite élargir l'exercice en expirant le flot de lumière à travers vos mains vers votre partenaire. La lumière est bien sûr une visualisation du Ki.

Exercice 3

Prenez à nouveau quelques minutes de calme pour pratiquer, comme dans l'exercice précédent, la respiration du hara. Puis, au lieu de remplir simplement votre hara, remplissez tout votre corps de lumière et de Ki à chaque inspiration profonde et exhalez ensuite la lumière jusqu'à ce qu'il n'en reste plus qu'une petite sphère dans votre tanden. C'est un bon exercice si vous sentez en vous une énergie négative parce qu'il vous permet de visualiser votre corps qui se vide de tout le vieux Ki vicié pour se remplir d'une énergie nouvelle et positive.

Exercice 4

Cet exercice porte davantage sur la respiration. Il a un effet calmant. Je l'appelle « respirer en carré » parce que vous inspirez en comptant jusqu'à quatre (aussi lentement que vous le pouvez), puis vous retenez votre souffle en comptant jusqu'à quatre, vous expirez en comptant jusqu'à quatre et vous bloquez à nouveau votre respiration en comptant jusqu'à quatre. Tout en faisant cela, centrez votre conscience sur le hara et veillez à ce que vos épaules ne se soulèvent pas quand vous retenez votre souffle. Laissez le Ki se déposer dans votre hara.

Il y a bien d'autres exercices de respiration et de prise de conscience du hara que vous pourrez apprendre si vous suivez des cours de shiatsu. L'intérêt de ceux décrits ci-dessus est surtout que vous pouvez les pratiquer simplement et par vous-même.

STIMULATION DES MÉRIDIENS

Le *do-in*, c'est-à-dire le shiatsu appliqué à soi-même, est un exercice dynamisant qui peut être pratiqué à tout moment de la journée. Il existe plusieurs méthodes différentes avec quantité de variantes, mais celle que je préfère est une technique de tapotements revigorants le long des méridiens.

Do-in facial

Commencez en tapotant avec vos doigts sur le sommet de votre tête. Si vous gardez le poignet bien souple, vous pouvez taper assez fort – rien de tel pour réveiller le cerveau le matin ! Puis laissez glisser vos doigts sur votre front et massez ensuite vos tempes en décrivant de petits cercles. Appuyez en suivant la ligne des sourcils. Comme dans le massage facial du shiatsu, stimulez les points autour de vos yeux en faisant bien attention à ne pas tirer sur la peau. Frictionnez vos joues et le bout de votre nez – c'est bon pour la circulation. Pressez sur le point GI20 à la base des narines et, avec vos pouces, travaillez sous l'os de la pommette en remontant jusqu'aux oreilles – cela soulage la congestion et les problèmes de sinus. Tirez sur vos oreilles vers le haut, vers le bas, vers l'arrière et vers l'avant, et frictionnez-les bien – ici encore, c'est bon pour la circulation. Pincez le bord de la mâchoire inférieure en laissant vos pouces s'attarder sur tous les petits nodules et les ganglions lymphatiques pour éliminer les toxines.

Le cou et les épaules

En allant aussi loin que vous le pouvez, faites tourner lentement votre tête dans un sens, puis dans l'autre. Si une position est douloureuse, placez une main sur votre tête et étirez doucement le cou à cet endroit, en vous servant du poids de votre main pour exercer votre traction. Le poing fermé mais sans serrer, tapoter les muscles de vos deux épaules. Il n'est pas rare que les épaules gardent une certaine raideur et un bon martèlement peut soulager une tension accumulée depuis longtemps.

La poitrine et les bras

Continuez par des tapotements sur la poitrine (en évitant les seins si vous êtes une femme) ; cela vous fera peut-être tousser pour expulser des mucosités que les vibrations auront détachées. Pour obtenir plus d'effet encore, faites cet exercice en poussant un cri à la Tarzan ! Occupez-vous ensuite des bras : tapotez en suivant les méridiens Yin dans l'intérieur du bras depuis l'épaule jusqu'à la main, puis tournez votre bras et revenez le long des méridiens Yang, de la main vers l'épaule. Pincez et tirez chaque doigt l'un après l'autre et stimulez les points GI4 et MC8 (reportez-vous au chapitre 5 ou plus loin dans ce chapitre pour connaître leur position exacte).

Le dos et les jambes

Penchez-vous vers l'avant et, en commençant aussi haut que vous le pouvez dans votre dos, tapez du poing des deux côtés de la colonne en descendant de l'omoplate jusqu'aux fesses. À nouveau, si vous gardez le poignet bien souple, vous pouvez y aller franchement ; cela stimule le méridien de la Vessie. Frappez ensuite sur les fesses pour chasser les quelques grammes de trop. Travaillez ensuite sur les faces externes des jambes en tapotant toujours avec le poing légèrement serré, puis remontez le long des faces intérieures en suivant toujours les flux du Yin et du Yang. Asseyez-vous, frictionnez le dessus de vos pieds, tapotez sur la plante, puis pincez et étirez chaque orteil l'un après l'autre. Appuyez sur le point R1.

MASSAGE DU HARA

Étendez-vous les genoux fléchis. Entrelacez les doigts de vos deux mains et bercez votre hara d'un côté puis de l'autre, comme on le fait pour commencer la séquence de base du shiatsu. Rappelez-vous qu'il ne faut pas frictionner mais transmettre le mouvement aux intestins sous vos mains. Poursuivez la manœuvre pendant plusieurs minutes. Posez ensuite vos doigts tendus sur le haut du hara, au plexus solaire, et appuyez en expirant. Inspirez en déplaçant vos doigts vers votre gauche (pour suivre le sens de la digestion) ; pressez à nouveau en expirant. Continuez tout autour du hara, entre les côtes et le bassin et arrêtez quand vous

Ill. 26 Étirement makko-ho Poumons/Gros Intestin

aurez parcouru un tour et demi. Laissez vos mains quelques minutes posées sur le tanden et reposez-vous.

LES ÉTIREMENTS MAKKO-HO

Les étirements makko-ho sont une série de mouvements d'ouverture des méridiens qui font souvent partie de l'entraînement des praticiens du shiatsu et des étudiants. Leur utilité n'est pas seulement qu'ils étirent chaque paire de méridiens, mais aussi qu'ils vous permettent d'en éprouver l'état selon la facilité et la souplesse avec laquelle vous parvenez à prendre chaque position. Certaines postures sont comparables à celles du yoga, mais la manière de les adopter est différente. Les exercices makko-ho réclament une attitude relaxée : inspirez, prenez la position d'étirement en expirant et détendez-vous. Tout en gardant la position,

131

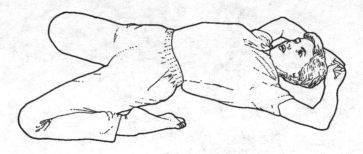

Ill. 27 Étirement makko-ho Estomac/Rate

inspirez à nouveau et quand vous expirez, essayez de vous relâcher un peu plus pour accentuer l'étirement. Ne vous forcez pas à entrer dans la pose. Contentez-vous de vous y laisser « glisser » aussi loin que vous le pouvez. On prend d'habitude trois longues expirations pour chaque étirement, et l'ordre dans lequel on les pratique est conforme au moment du cycle journalier (voir le chapitre 3).

Poumons/Gros Intestin (illustration 26)

Tenez-vous debout, les jambes droites et légèrement écartées. Croisez les pouces derrière le dos et penchez-vous vers l'avant en étirant vos bras aussi haut que possible. Respirez lentement trois fois de suite et essayez de vous relâcher en vous enfonçant davantage dans la position à chaque expiration.

Estomac/Rate (illustration 27)

Agenouillez-vous, les fesses entre les pieds. Expirez et laissez-vous aller en arrière en vous soutenant sur vos coudes. Si la position est confortable, laissez-vous descendre jusqu'au sol à l'expiration suivante et placez vos bras par-dessus votre tête. Inspirez et expirez trois fois de suite. Redressez-vous en passant par les mêmes étapes : agrippez

132

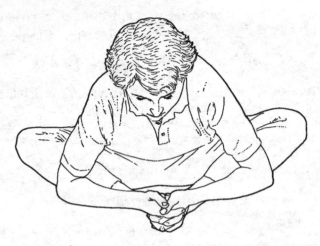

Ill. 28 Étirement makko-ho Cœur/Intestin grêle

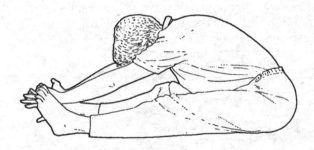

Ill. 29 Étirement makko-ho Vessie/Reins

vos chevilles, courbez la tête de façon à avoir le menton collé contre la poitrine et poussez fermement sur vos coudes pour soulever votre dos du sol. Pliez-vous ensuite vers l'avant pour briser la cambrure du dos. Si cela vous semble trop difficile, voici une version modifiée. Asseyez-vous en seiza, posez vos mains derrière vous et expirez en soulevant les hanches. Maintenez la position le temps de trois respirations. C'est une autre façon d'étirer les méridiens de l'Estomac et de la Rate sur la face antérieure des cuisses.

Cœur/Intestin grêle (illustration 28)

Asseyez-vous, les pieds ramenés le plus près possible de l'aine, plantes l'une contre l'autre. Agrippez vos pieds, les coudes écartés vers l'extérieur des tibias et relâchez-vous en vous laissant aller vers le sol sans comprimer la poitrine et le hara. Maintenez la position et respirez trois fois en vous relâchant un peu plus à chaque expiration.

Vessie/Reins (illustration 29)

Asseyez-vous, les jambes tendues devant vous. Pliez les hanches et tendez les mains (petits doigts tournés vers le haut) entre vos pieds si vous pouvez les atteindre. Si vous n'y arrivez pas, agrippez vos chevilles ou vos tibias aussi loin que vous le pouvez. Respirez lentement en vous relâchant. Prenez vos deux premières respirations en regardant devant vous, mais pour la troisième, courbez la tête vers vos genoux afin d'étirer l'arrière du cou.

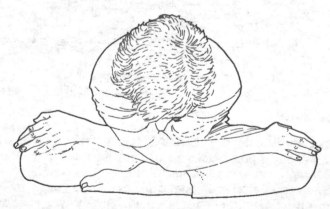

Ill. 30 Étirement makko-ho Maître du Cœur/Triple Réchauffeur

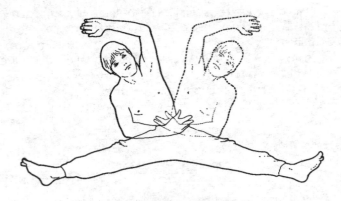

Ill. 31 Étirement makko-ho Vésicule biliaire/Foie

Maître du Cœur/Triple Réchauffeur
(illustration 30)

Asseyez-vous jambes croisées et croisez vos bras dans l'autre sens pour agripper vos genoux. Expirez et étirez-vous vers l'avant en poussant vos genoux vers le sol. Respirez trois fois de suite, puis recommencez en inversant la façon dont sont croisés vos bras et vos jambes.

Vésicule biliaire/Foie (illustration 31)

Asseyez-vous les jambes tendues aussi écartées que possible. Imaginez que vous êtes appuyé le dos contre un mur. En gardant le bras gauche contre le corps, tendez le bras droit par-dessus votre tête et étirez-vous vers la gauche comme si vous glissiez contre le mur pour essayer d'aller toucher le sol derrière votre pied gauche. Maintenez la position en respirant trois fois de suite. Redressez-vous et inversez les bras ; penchez-vous sur la droite de la même façon. N'oubliez pas de garder le dos bien à plat et ne comprimez pas votre hara. Redressez-vous et, en entrelaçant vos mains devant vous, fléchissez les hanches pour vous pencher vers l'avant. Prenez à nouveau trois respirations en vous relâchant pour accentuer l'étirement.

Ainsi, le cycle est bouclé. Ces étirements ne prennent pas plus de cinq minutes, mais ils n'en constituent pas moins une manière très efficace de vous garder souple et en forme tout en vous aidant à mieux ressentir comment chaque paire de méridiens fonctionne dans votre corps. Les exercices makko-ho peuvent être pratiqués matin et soir. Vous devez cependant tenir compte de ce que vous êtes plus raide le matin.

MÉDITATION

Dans le shiatsu, les exercices pour apaiser l'esprit ne sont pas moins importants que l'entraînement physique. La méthode traditionnelle est la méditation, qui procure un sentiment de paix, de bien-être et de compréhension de soi. Il y a plusieurs écoles de méditation et de nombreuses méthodes qui, toutes, ont leurs valeurs propres. Quand on commence à s'engager sur la voie du développement personnel, on a souvent du mal à trouver la sérénité en livrant simplement son esprit à lui-même. C'est pourquoi les deux exercices que je propose vous fixent une marche à suivre.

Exercice 1

Choisissez quelque chose dans la nature, une pierre, une feuille ou une plante que vous allez placer devant vous. Prenez environ cinq minutes pour observer, ramasser, retourner, tâter cette chose. Reposez-la et imaginez maintenant d'où elle vient : comment la semence s'est transformée en plante, comment le caillou s'est détaché d'un énorme rocher. Observez bien les détails les plus infimes. Si des pensées étrangères vous viennent à l'esprit à propos d'autre chose, laissez-les simplement repartir en reportant votre attention sur l'objet que vous avez choisi. Répétez cet exercice chaque jour pendant une semaine avec le même objet, puis choisissez-en un autre. C'est curieux comme les adultes perdent souvent la faculté de s'étonner devant les petites choses de la nature. Cet exercice peut nous aider à renouer avec cet émerveillement tout en concentrant notre esprit par la même occasion.

Exercice 2

Choisissez un endroit calme où vous ne serez pas dérangé pendant cinq à dix minutes. Cet exercice est une « méditation sur le Ciel et la Terre » que je pratique souvent comme visualisation orientée avec mes étudiants. Fermez les yeux et regardez-vous mentalement dans la pièce où vous êtes assis confortablement. Imaginez que vous flottez en l'air dans la pièce, puis dehors au-dessus de la maison ou du bâtiment. Vous vous élevez lentement dans les airs pour contempler les toits et les arbres, puis de plus en plus haut, de façon à découvrir les particularités géographiques plus larges : les collines, les lacs, les rivières, la mer peut-être. Continuez à monter jusqu'à ce que vous aperceviez au-dessous de vous le pays tout entier et l'océan. Puis, à mesure que vous vous élevez, vous contemplez les continents et, enfin, la planète tout entière. Restez ainsi dans l'espace, en observant cette merveilleuse sphère bleue et verte qu'est notre Terre. Comme elle semble loin et précieuse ! De là où vous êtes, vous ne voyez ni guerre ni catastrophe ni, bien sûr, vos propres problèmes. Maintenant, redescendez lentement dans l'atmosphère. En vous rapprochant, vous remarquez les mers, puis les collines, les fleuves, les villes, les maisons, les arbres. Vous voilà revenu d'où vous êtes parti, dans cette pièce où vous êtes assis. Prenez une profonde respiration. Vous allez à présent vous sentir de plus en plus lourd, si lourd que vous traversez le plancher. Vous vous enfoncez dans la terre meuble où vous apercevez les racines des plantes et des arbres, les galeries de taupes et de rongeurs, mais aussi des pierres, et peut-être des ruines ensevelies. Vous traversez ensuite une couche de roche et vous débouchez dans une grotte où coule une rivière souterraine. Vous contemplez les stalagmites et les stalactites, puis vous descendez encore plus bas et vous arrivez dans une autre grotte aux parois tapissées de cristaux de quartz. Vous vous sentez au chaud et en sécurité dans les bras de notre mère la Terre. Alors, lentement, vous commencez à remonter à travers les couches de roche, les pierres et les courants souterrains. Vous arrivez au sol fertile où les végétaux puisent leur nourriture et vous revenez à la lumière, puis dans la pièce d'où vous êtes parti. Reprenez conscience de vous-même assis sur votre siège en ce moment et en ce lieu. Étirez-vous lentement. Faites quelques mouvements et quand vous vous sentez prêt, ouvrez les yeux.

C'est l'une de mes méditations orientées favorites. Elle nous donne le sentiment de nos liens avec la Terre et de la place que nous y occupons. Au bout de quelques fois, vous arriverez plus rapidement à faire le voyage et vous verrez que c'est un bon moyen de se ressourcer dans les moments de stress.

L'ALIMENTATION

« On est ce que l'on mange », dit-on souvent avec raison. Mais ce dont on est rarement conscient, ce sont les effets énergétiques plus subtils que notre nourriture peut avoir sur notre santé, notre humeur ou l'état général de notre Ki. Il existe tant de régimes différents que l'on est excusable de ne plus trop savoir ce qu'il est bon de manger ou même s'il est bon de manger quoi que ce soit avec les pollutions, les irradiations et les traitements chimiques qui sont le lot de notre vie moderne !

Il n'y a pas de réponse définitive. La conception traditionnelle orientale de l'alimentation recherche un équilibre des « cinq saveurs » (amer, sucré, épicé, salé, aigre) selon les correspondances des Cinq Éléments, et un équilibre des aliments Yin et Yang selon la période de l'année et les besoins de chaque individu. Le régime macrobiotique est un dérivé moderne de la cuisine traditionnelle japonaise qui distingue les aliments et les méthodes de préparation selon les principes du Yin et du Yang. Les aliments Yang poussent dans le sol ou sur la terre ; les aliments Yin poussent au-dessus du sol, sur les arbres et les buissons. La cuisson Yang est plutôt longue ou se fait dans un four et avec du sel ; les procédés

Yin englobent la préparation d'aliments crus et la cuisson à la vapeur. Certaines personnes suivent scrupuleusement les recommandations de la macrobiotique et s'en trouvent très bien, particulièrement en cas de maladie ; d'autres les trouvent trop strictes.

Pour ma part, je pense que, quel que soit le régime que vous suivez, le repas doit être un plaisir, non une source de stress ou de culpabilité. Mais, comme on dit aussi, « il faut manger pour vivre et non vivre pour manger ». Chacun doit découvrir l'alimentation qui lui convient le mieux. C'est un sujet bien trop vaste pour qu'il soit possible de le traiter en détail dans le cadre de ce livre. Néanmoins, la plupart des diététiciens et des nutritionnistes devraient tomber d'accord avec les conseils suivants.

1. Prenez des repas réguliers, mâchez convenablement et ne mangez pas si vous vous sentez particulièrement stressé ou agité.

2. Mangez beaucoup de fruits et de légumes – de préférence des produits biologiques ou cultivés chez vous. Il faut compter en moyenne deux légumes par jour et au moins un fruit.

3. Veillez à prendre assez de protéines : des haricots, du tofu (pâté de soja), du poisson (mais pas du poisson d'élevage), des œufs (de ferme). Si vous mangez de la viande rouge, tâchez de ne pas en prendre plus d'une ou deux fois par semaine. Certains préfèrent éviter de mélanger les aliments protéiques et les aliments glucidiques afin de les digérer plus facilement.

4. Mangez davantage de fibres et de céréales, comme le riz brun, le millet, le blé noir, l'orge et l'avoine. Mais il y a encore d'autres sources intéressantes de fibres : les pâtes de farine complète, le couscous, les noix et les graines.

5. Beaucoup de gens ne digèrent pas très bien le pain, soit à cause d'une allergie au froment, soit à cause de la levure utilisée. Pour ma part, si je mange du pain, j'ai aussitôt le nez bouché ; c'est pourquoi je n'en prends qu'en cas d'« urgence ». Chez d'autres, cela provoque des ballonnements très désagréables. Si donc vous ne supportez pas le

pain, remplacez-le par des galettes d'avoine, des gâteaux de riz ou des biscuits de seigle.

6. Les stimulants comme le thé, le café, le chocolat, le sucre et les substances chimiques que l'on trouve dans les aliments industriels ne sont en général pas très bon pour la santé. Les infusions, les substituts du café, les jus de fruits frais ou l'eau minérale tout simplement sont les meilleures boissons. Mais si vous ne pouvez pas vous passer de votre boisson stimulante, accordez-vous une ou deux tasses par jour. Les grands buveurs de café, notamment, ont intérêt à éviter un sevrage trop brutal qui s'accompagne parfois de symptômes très déplaisants. Le sucre peut provoquer une dépendance du même ordre. Essayez de le remplacer par un peu de miel dans les boissons et des fruits secs dans les desserts. À long terme, supprimer le sucre de votre alimentation est peut-être l'une des décisions les plus salutaires que vous puissiez prendre.

7. Certains ont du mal à digérer les produits laitiers, qui peuvent parfois entraîner une hypersécrétion des muqueuses ou encore des problèmes de peau. Beaucoup d'enfants y font des réactions allergiques et, en cas d'eczéma ou d'asthme, vous pourriez avoir intérêt à supprimer le lait pendant un ou deux mois. Les personnes sujettes aux migraines se méfient souvent du fromage. Le lait de soja et le tofu sont désormais disponibles dans la plupart des magasins de produits diététiques et même dans certains supermarchés. Ils sont généralement mieux tolérés par les estomacs délicats.

8. Si vous grignotez entre les repas, donnez la préférence aux fruits frais, aux fruits secs et aux noix, ou encore aux légumes crus, plutôt qu'aux sucreries et aux pâtisseries. Certaines personnes fonctionnent selon le principe du « un peu mais souvent », surtout si elles ont tendance à l'hypoglycémie ou à l'hyperglycémie. Dans ce cas, une poignée d'amandes, de graines de tournesol et de raisins peut tout aussi bien faire l'affaire et s'avérera à terme bien meilleure pour la santé.

9. Enfin, ayez soin de boire un ou deux verres d'eau par jour. Le corps a besoin d'une certaine quantité d'eau pour

ses processus chimiques indispensables, et s'il ne la reçoit pas, il risque la déshydratation. L'eau contribue aussi à éliminer les toxines et donc à purifier l'organisme.

Si vous modifiez votre alimentation, il est préférable de laisser vos nouvelles habitudes s'installer progressivement. Cela réduira les problèmes digestifs et les risques de mutinerie quand les autres membres de votre famille verront disparaître du menu leurs « saletés » préférées ! Pour ce qui me concerne, il me semble que la cuisine végétarienne est celle qui me convient le mieux car elle satisfait pleinement mes besoins en énergie et mon goût de la diversité. Je me suis imposée quelques règles personnelles comme de ne pas boire d'alcool ou de ne pas manger d'aliments très sucrés les jours où je dois pratiquer ou enseigner le shiatsu. En revanche, j'estime qu'il n'y a pas de mal à faire de temps en temps une petite entorse à ses principes. Il n'y a rien de pire que quelqu'un dont le régime est si strict (je ne parle pas, bien sûr, d'un régime imposé pour des raisons médicales) que l'on n'ose pas l'inviter à dîner !

LE STYLE DE VIE

Deux autres facteurs ne doivent pas être négligés si l'on veut avoir une bonne santé : l'exercice et le sommeil. Quelle que soit la vie que nous menons, le sommeil et l'exercice sont essentiels. On peut distinguer deux catégories d'exercice : l'aérobic et autres « efforts essoufflants », comme le vélo, la course à pied, la natation, le sport en équipe, le tennis, le squash et même la marche rapide, et les exercices en douceur qui améliorent la circulation du Ki et la souplesse, comme le yoga, le tai-chi, le qi gong, le do-in, etc. Mon opinion est qu'il faut un peu des deux. Une bonne moyenne serait vingt minutes d'effort intense trois fois par semaine pour activer le système cardio-vasculaire et quinze minutes d'exercice doux chaque jour.

Le sommeil et le repos sont tout aussi importants. Pendant la nuit, notre corps récupère. Il reconstitue ses réserves de Ki en prévision du lendemain. L'excès ou le manque de sommeil peuvent l'un et l'autre être préjudiciables à la santé. Mais chacun doit découvrir la dose qui lui convient. Les mouvements inconscients que l'on fait en dormant permettent à notre corps de se relâcher, tandis que les rêves nous aident à venir à bout des questions restées en suspens dans la journée. Beaucoup de gens souffrent d'insomnies et, d'après l'expérience que j'en ai, le problème tient davantage dans l'énervement de ne pas dormir que dans le manque de sommeil proprement dit. S'il vous arrive de vous réveiller pendant la nuit sans pouvoir vous rendormir, *ne vous tracassez pas*. Bien sûr, notre corps a besoin de sommeil, mais il a aussi besoin de repos. Dites-vous que, si vous ne dormez pas, au moins vous vous reposez et essayez de pratiquer quelques-uns des exercices de respiration du hara décrits précédemment dans ce chapitre. Vous verrez qu'au bout de dix minutes, votre esprit se sera suffisamment apaisé pour que vous puissiez retrouver le sommeil.

LES POINTS UTILES
POUR LES PREMIERS SOINS

Il n'y a rien de tel qu'une séance relaxante de shiatsu quand on se sent mal, mais ce n'est pas toujours possible. Dans ce cas, on peut apprécier à titre de premier soin la stimulation d'un tsubo particulier. Chaque praticien a sa liste des points utiles, et ceux que je vais décrire sont, à mes yeux, les plus intéressants lorsque l'on ne peut bénéficier d'une séance complète. Mais ne perdez pas de vue, quand vous souhaitez traiter un problème spécifique, que ces tsubos ne sont pas des remèdes miracles et qu'il ne faut pas s'attendre à un résultat immédiat. J'ai constaté, par exemple, que si je stimule un point pour soulager un mal de tête, il me faut travailler dessus par intermittence pendant environ un quart d'heure pour voir s'estomper la douleur. Appuyez sur le tsubo et efforcez-vous de capter la sensation de connexion avec le Ki – c'est d'habitude une « douleur agréable » ou l'impression de toucher un point sensible. Maintenez votre pression pendant sept à dix secondes et relâchez ensuite pendant le même laps de temps avant de recommencer. Continuez vos manipulations pendant deux minutes, puis attendez deux autres minutes, et ainsi de suite. Si le point devient très sensible, essayez d'en stimuler un autre dont l'action est comparable. Il est souvent possible d'intervenir très efficacement sur des combinaisons de points.

V2 : dans l'encoche du coin de l'œil, entre le nez et l'arcade sourcilière – mal de tête frontal et fatigue oculaire.

VB20 : dans le creux entre les deux grands muscles à l'arrière du cou (le trapèze et le sterno-cléido-mastoïdien), juste sous le crâne – pour soulager la douleur et la tension dans le cou, ainsi que les migraines.

P1 : une largeur de pouce plus bas que le creux situé sous la clavicule – toux, asthme et problèmes pulmonaires.

GI10 : à trois doigts sous le pli du coude, au-dessus du muscle de l'avant-bras – douleur dans le bras et dans l'épaule, problèmes intestinaux.

GI4 : sur la membrane charnue entre le pouce et l'index, au dos de la main, près des os – maux de tête, maux de dents, pour faire descendre le Ki dans le corps, constipation, diarrhée, stimulation générale de la fonction intestinale. Chez la femme enceinte, ce point est utile pour activer les contractions ; il faut donc s'abstenir de le stimuler pendant la grossesse.

MC6 : deux largeurs de pouce au-dessus du pli du poignet, sur la face intérieure du bras entre les tendons – nausées et vomissements, particulièrement les nausées matinales et le mal de mer.

MC8 : si vous fermez le poing sans serrer, le tsubo MC8 se trouve à l'endroit où votre majeur touche le centre de votre paume – pour apaiser l'esprit si vous êtes nerveux ou anxieux.

C7 : dans le pli du poignet, à hauteur du tendon du côté du petit doigt – apaise l'esprit en cas d'anxiété et d'insomnie, sueurs nocturnes, problèmes de cœur.

C9 : au coin intérieur de l'ongle du petit doigt – maladies de cœur, notamment la crise cardiaque (pour autant que l'on ait pris d'autres mesures d'urgence bien entendu), anxiété grave.

VB30 : au centre de la fesse, où l'on voit une fossette quand le muscle est contracté – sciatique, douleur et fatigue dans les jambes, douleur dans le bas du dos.

E36 : à quatre largeurs de doigt sous le bord externe de la rotule – indigestion, nausées et problèmes d'estomac, douleur et fatigue dans les jambes. D'une manière générale c'est un point excellent pour la vitalité.

RP6 : à trois doigts au-dessus de la malléole interne de la cheville en partant de la base de la bosse (et non du sommet), juste derrière l'os – problèmes menstruels, notamment la dysménorrhée, troubles de l'appareil reproducteur, fatigue, douleur dans l'abdomen. Ce point apaise l'esprit, notamment en cas d'insomnies. À éviter pendant la grossesse, mais utile lors de l'accouchement.

F3 : sur le dessus du pied, dans le creux derrière la bosse du gros orteil, entre le premier et le deuxième métatarsien – migraines, maux de tête, crampes. Ce point a un effet calmant, particulièrement en cas de mauvaise humeur.

R1 : sur la plante du pied, dans le prolongement du deuxième orteil, sous l'éminence métatarsienne – tonifie l'énergie Yin dans l'organisme, éclaircit et apaise l'esprit, peut servir en cas d'évanouissement.

Ces points peuvent être stimulés sans danger aussi bien sur les enfants que sur les personnes âgées. Faites appel à votre bon sens et évitez quand même d'y recourir de manière systématique et exagérée. Si le problème persiste, consultez une personne qualifiée.

LE MOXA

Le moxa est souvent utilisé par les thérapeutes en combinaison avec le shiatsu dans les cas où un apport de chaleur peut être bénéfique. Fabriqué à partir de l'armoise commune, le moxa est brûlé au-dessus ou directement au contact de certains tsubos pour les réchauffer, stimuler la circulation locale et accroître le flux du ki à cet endroit en vue d'une action précise. Le moxa se présente un peu comme de l'ouate de coton de couleur brunâtre. Dans le procédé « direct », on le malaxe pour en faire de petits cônes qui sont ensuite brûlés sur une fine lamelle de gingembre ou d'ail posée sur la peau jusqu'à ce que le receveur éprouve une sensation de chaleur. Plus pratique et d'un usage moins compliqué dans le cadre d'une séance de shiatsu, le procédé « indirect » consiste à tordre le moxa pour en faire une sorte de baguette ressemblant à un long cigare que l'on maintient par intermittence, après l'avoir allumé, au-dessus du point concerné jusqu'à ce que l'endroit rosisse légèrement, procurant au receveur une sensation de chaleur agréable. Puisque le moxa se consume sans faire de flamme, il est très facile de régler la chaleur produite en le tenant plus ou moins près de la peau. Le praticien fait évidemment bien attention à ne pas brûler le receveur, qui l'avertit dès que la sensation devient trop chaude. Le traitement par les moxas est très efficace en cas de douleur chronique, de périarthrite scapulo-humérale et d'autres formes d'arthrites, de diarrhée, de sensations de froid et de fatigue générale.

Ces exercices parallèles et ces compléments de traitement peuvent facilement s'intégrer à notre vie quotidienne quand nous prenons conscience de nos responsabilités envers nous-mêmes. Nous comprenons alors qu'il est possible, par nos actions, nos activités et nos habitudes, d'influer sur l'état de notre Ki et de mener une existence qui corresponde à nos vœux.

7

Pour aller plus loin

COMMENT TROUVER UN PRATICIEN

Au cours des dix dernières années, la popularité des médecines alternatives a remarquablement augmenté. La méfiance du public à l'endroit des traitements chimiques et médicamenteux de la pratique médicale orthodoxe associée à la volonté croissante des patients de prendre une part active et responsable à leur guérison ont certainement contribué à orienter de plus en plus de gens vers diverses formes de médecine douce.

Les médecines naturelles sont en mesure d'apporter à chaque patient une meilleure compréhension de son état, mais aussi de son potentiel général de santé. Et si tant de gens se tournent vers les disciplines alternatives, c'est peut-être en raison du besoin de se comprendre soi-même et aussi de trouver un interlocuteur qui ait une conception différente de la santé et qui prenne le temps de parler. Cependant, dès lors que l'on sort du cadre établi de la médecine orthodoxe, on butte obligatoirement sur la question des normes et des qualifications. Comment trouver un praticien digne de confiance ? Existe-t-il un organe de contrôle ou vaut-il mieux s'adresser aux centres de formation ? Est-ce que les normes et les critères varient selon les écoles ? Le malheureux patient qui cherche simplement quelqu'un pour soulager son mal de dos ne sait souvent pas à quel saint se vouer.

Le mieux est sans doute de s'adresser à une association professionnelle comme la Shiatsu Society en Angleterre, qui garantit la qualification et la compétence de ses membres, et dispose généralement d'une liste de thérapeutes agréés.

FORMATION PROFESSIONNELLE

En ce qui concerne le shiatsu, la formation n'est pas simplement l'apprentissage de la théorie et de la technique. Ainsi que je l'ai signalé tout au long de ce livre, le shiatsu est une affaire d'attitude dans la vie, de compréhension de soi et de développement personnel. Si vous vous sentez sérieusement attiré par le shiatsu et si vous voulez devenir praticien, je ne saurais trop vous conseiller de vous trouver un maître ou un organisme qui vous inspire confiance. Il vous faudra peut-être essayer plusieurs cours pour débutants avant que le déclic se fasse et que vous trouviez la personne que vous cherchez.

La plupart des écoles de shiatsu n'ont pas d'autres conditions d'admission que l'enthousiasme et la motivation. Beaucoup d'entre elles essaient en outre de sortir des vieux schémas académiques et des méthodes de travail dont nous avons été abreuvés durant nos études secondaires. C'est ainsi que les exercices pratiques occupent bien sûr une part importante de l'enseignement, auxquels s'ajoute une dimension ludique et créative de même que des exercices de développement de la sensibilité pour aider les élèves à apprendre avec leur corps aussi bien qu'avec leur esprit. Cela n'exclut évidemment pas le travail intellectuel, notamment dans les cours plus avancés qui traitent de la théorie orientale, du diagnostic, de l'anatomie, de la physiologie et de la pathologie. Certaines écoles prévoient en outre des travaux, écrits ou pratiques, à domicile et l'une ou l'autre forme d'examen qui sanctionne la fin des études.

CONCLUSION

POURQUOI LE SHIATSU ?

Si l'on considère la *guérison* comme la voie de la *pléni-tude*[1], je suis convaincue que nous avons tous d'une manière ou d'une autre la faculté de guérir les autres, si nous le sou-haitons. Je pense aussi que le désir d'aider et de soigner a ses racines dans notre humanité même et dans notre sympathie pour les êtres qui nous accompagnent dans ce voyage plein de détours, de joies et de peines que l'on appelle la vie. La manière dont nous choisissons d'exprimer notre potentiel de guérison est affaire d'individu. Certains commencent très tôt, d'autres n'atteignent jamais le degré d'accomplis-sement suffisant pour laisser s'épanouir cet aspect positif qu'ils ont en eux.

Personnellement, c'est la pratique de l'aïkido qui m'a amenée au shiatsu. J'avais fait une chute sur le tatami et quelqu'un m'a aidée à reprendre mes esprits en stimulant un tsubo. Ajoutez à cela une série de lectures sur le Yin et le Yang et l'apparition de terribles migraines ; c'est donc le souci de ma propre santé qui m'a fait m'intéresser au shiatsu. J'ai assisté à un cours le week-end et ce fut la révé-lation ! Je savais désormais ce que je voulais faire dans la vie. J'avais trouvé non seulement une façon d'aider les autres, mais aussi un moyen de communiquer – sans doute est-ce d'ailleurs parce que j'ai toujours accordé une grande

---

1. L'auteur fait allusion à l'étymologie commune de *healing*, « guérison », et *whole* qui signifie à la fois « sain » et « entier », « tout » (N.d.T.).

importance à la communication qu'avant de me tourner vers le shiatsu, j'avais fait des études de langues, puis travaillé dans le journalisme. En outre, c'était une manière d'agir sur ma propre santé et sur mes facultés personnelles. La discipline qu'imposait la pratique du shiatsu me plaisait, de même que la possibilité qu'elle m'offrait de domestiquer le pouvoir du hara tout en mettant ce pouvoir au service des autres. Le mouvement, la créativité du shiatsu permettaient à mon corps comme à mon esprit de s'épanouir, et le monde mystérieux du Ki me fascinait. Bref, le shiatsu était un moyen de guérison et d'expression personnelle qui s'accordait parfaitement avec mon propre tempérament. Si j'avais été différente, j'aurais peut-être choisi une autre discipline : la guérison spirituelle, le yoga ou la médecine conventionnelle. Si l'on en croit l'enseignement ésotérique, « le maître apparaît quand le disciple est prêt ». Je crois que le shiatsu a été pendant de nombreuses années le maître qui m'a guidée vers la compréhension et la connaissance du sens que je donne à ma vie.

Je sais parfaitement que le shiatsu ne peut pas tout guérir ; selon moi, il consiste plutôt à tendre un miroir et à laisser les patients se regarder en face. Parfois cela les aide à se libérer d'une souffrance ou d'un problème de santé qu'ils traînent depuis longtemps, ou encore à décider de prendre soin d'eux. Parfois le shiatsu peut aider une personne à y voir plus clair dans sa vie pour mieux venir à bout de ses problèmes. Parfois il en aide une autre à mourir dans la dignité.

Le pouvoir du toucher est immense. La main qui guérit, associée à la connaissance de l'énergie, peut transformer la vie des gens d'une façon incroyablement positive. Et en agissant sur l'existence des autres, en enrichissant grâce au shiatsu la qualité de vie de quelques individus, sans doute peut-on espérer créer une vie meilleure pour chacun sur cette terre.

BIBLIOGRAPHIE

Chaitow, L., *Soft Tissue Manipulation*, Thorsons, 1980.

Dawes, N., *The Shiatsu Workbook*, Piatkus, 1991.

Durckheim, K. von, *Hara : The Vital Centre of Man*, Unwin Paperbacks, 1962.

Essentials of Chinese Acupuncture, Foreign Languages Press, Beijing, 1980.

Jarmey, C., and Tindall, J., *Acupressure for Common Ailments*, Gaia Books, 1991.

Jarmey, C., and Mojay, G., *Shiatsu : The Complete Guide*, Thorsons, 1991.

Kaptchuk, T., *Chinese Medicine : the Web that has No Weaver*, Rider, 1983.

Kushi, M., *How to see your Health*, Japan Publications, 1980.

Lao-tseu, *Tao-te-king*, Points, Seuil, 1979.

Lidell, L., *Le Massage*, Robert Laffont, 1985.

Lundberg, P., *The Book of Shiatsu*, Gaia Books, 1992.

Maciocia, G., *The Foundations of Chinese Medicine*, Churchill Livingstone, 1989.

Masunaga, S., *Zen Imagery Exercises*, Japan Publications, 1987.

Masunaga, S., *Zen Shiatsu*, Japan Publications, 1977.

Namikoshi, T., *The Complete Book of Shiatsu Therapy*, Japan Publications, 1981.

Ohashi, W., *Le Livre du shiatsu*, Étincelle, 1977.

Ploss & Bartels, *The Women*, Heineman (Medical), 1929.

Ridolfi, R., *Shiatsu*, Macdonald Optima, 1990.

Seem, M., *Bodymind Energetics*, Thorsons, 1988.

Serizawa, K., *Effective Tsubo Therapy*, Japan Publications, 1984.

Serizawa, K., *Tsubo : Vital Points for Oriental Therapy*, Japan Publications, 1976.

Suzuki, S., *Esprit zen, esprit neuf*, Points, Seuil, 1977.

Tohei, K., *Le Livre du Ki*, Maisnie, 1982.

Veith, I. (trad.), *The Yellow Emperor's Classic of Internal Medicine*, University of California Press, 1966.

Yamamoto, S., *Le Shiatsu aux pieds nus*, Maisnie, 1981.

Tableau symptomatique
Problèmes de santé
et méridiens correspondants

SYMPTÔMES	MÉRIDIENS CONCERNÉS
Refroidissement, grippe	Poumons et Triple Réchauffeur dans les premières phases
Maux de tête (front)	Vessie, Estomac
Maux de tête (tempes)	Vésicule biliaire et Foie
Maux de tête (arrière du crâne)	Vessie
Migraine	Foie (surtout F3) et Vésicule biliaire
Indigestion, nausées	Estomac, Rate, Maître du Cœur (MC6)
Constipation, diarrhées	Gros Intestin et Intestin grêle
Problèmes de bronches, toux, asthme	Poumons
Fatigue (chronique)	Reins et Vaisseau Conception
Problèmes génitaux	Rate, Foie et Reins
Mal de dos	Vessie, Vaisseau Gouveneur et Vésicule biliaire
Sciatique	Vésicule biliaire et Vessie

Si votre partenaire présente l'un ou l'autre de ces symptômes courants, reportez-vous aux tableaux du chapitre 3 pour connaître les correspondances théoriques et consultez également la liste de tsubos de la page 143 pour voir quels sont les points les plus intéressants sur les méridiens concernés. Vous pouvez ensuite travailler sur toute la longueur du méridien, en accordant une attention particulière aux endroits où le Ki semble perturbé (toucher dur et résistant ou, au contraire, flasque et creux) et aux points classiques conseillés pour ce problème.

GLOSSAIRE

Acupressure : une méthode de traitement proche du shiatsu, mais concentrée davantage sur les points classiques tels qu'on les utilise en acupuncture.

Cinq Éléments (on dit aussi les **Cinq Phases de Mutation** ou les **Cinq Transformations**) **:** théorie largement utilisée dans la médecine orientale qui décrit l'énergie à travers les éléments Métal, Eau, Bois, Feu et Terre. Elle traite de la circulation de l'énergie entre les différents éléments et regroupe des phénomènes similaires selon un système de correspondances.

Hara : nom japonais de l'abdomen, considéré comme le centre de la force physique et spirituelle ; très utilisé dans le shiatsu pour développer l'équilibre, le sens du toucher et la faculté de guérir.

Jing : l'énergie vitale qui se trouve dans la région lombaire et règle la croissance et le vieillissement ; elle régit aussi notre aptitude à la reproduction.

Ki : terme japonais désignant l'énergie, qui englobe tous les phénomènes de l'univers, mais utilisé dans un sens plus spécifique par la médecine orientale pour décrire l'énergie du corps.

Kyo-jitsu : méthode utilisée dans le shiatsu zen pour décrire une relation dynamique entre deux méridiens où le méridien vide ou insensible (kyo) entraîne dans un autre endroit du corps la manifestation d'un méridien plein ou hypersensible (jitsu).

Méridien : canal énergétique de l'organisme le long duquel le Ki circule avec plus de force. Chaque méridien se rattache à un organe interne qui lui donne son nom.

Shen : l'esprit (ou la conscience), le terme désigne tous les éléments psychologiques et affectifs qui font notre personnalité.

Shiatsu : mot japonais qui veut dire littéralement « pression du doigt » et désigne un traitement d'une grande richesse technique et théorique dans la pratique duquel on exerce des pressions avec les mains, les pouces, les genoux et les pieds pour favoriser la guérison du corps et de l'esprit.

Tanden : un point situé trois doigts sous le nombril au centre du hara.

Tsubo : nom japonais des points d'acupuncture classiques qui, à quelques rares exceptions près, sont situés sur les méridiens.

Yin et Yang : le fondement dynamique de toute la médecine orientale, qui décrit les interactions en un mouvement incessant de forces complémentaires et opposées, par exemple le chaud et le froid, le haut et le bas, le jour et la nuit, le masculin et le féminin.

Zen : une forme de bouddhisme qui considère que l'illumination peut survenir à tout moment, encourage la spontanéité et la vie dans l'instant présent.

CET OUVRAGE A ÉTÉ REPRODUIT
ET ACHEVÉ D'IMPRIMER SUR ROTO-PAGE
PAR L'IMPRIMERIE FLOCH À MAYENNE
EN AVRIL 1995

Éditions du Rocher
28, rue Comte-Félix-Gastaldi
Monaco

Dépôt légal : avril 1995.
N° d'édition : CNE section commerce et industrie
Monaco 19023.
N° d'impression : 37625.
Imprimé en France